publication de Bibliothèque et Archives nationales
bliothèque et Archives Canada

4-1287-9
tion: Titan jeunesse ; 93.
2011 jC843'.54   C2011-940847-3

s Arts   Canada Council
          for the Arts

SODEC
Québec ✚ ✚

ns l'aide financière du gouvernement du Canada par
nds du livre du Canada pour nos activités d'édition.

du Québec – Programme de crédit d'impôt pour
s – Gestion SODEC.

bec Amérique bénéficient du programme de subvention
seil des Arts du Canada. Elles tiennent également à
DEC pour son appui financier.

e le Conseil des arts et des lettres du Québec pour son

e
mmune Ouest, 3ᵉ étage
c) H2Y 2E1
99-3000, télécopieur : 514 499-3010

imestre 2011
onale du Québec
ionale du Canada

Stéphanie Durand
ique : Claude Frappier et Chantale Landry
ndré Vallée – Atelier typo Jane
hique : Célia Provencher-Galarneau

aduction, de reproduction et d'adaptation réservés

s Québec Amérique inc.
erique.com

ada

TITAN
SUSPENSE

Collection dirigée par
Stéphanie Durand

Du même auteur chez Québec Amérique

SÉRIE ALIBIS
Le Projet Tesla, coll. Titan, 2010.
Jeu de dames, coll. Titan, 2007.
ALIBIS inc., coll. Titan, 2006.

AVIS DE T

Catalogage a
du Québec

Boulanger, F
Avis de temp
(Titan ; 93)
(Série Alibis
Pour les jeun
ISBN 978-2-
I. Titre. II. C
PS8553.O838

Cons
du Ca

Nous reconn
l'entremise d

Gouverneme
l'édition de l

Les Éditions (
globale du C
remercier la S

L'auteur reme
appui financi

Québec Amér
329, rue de la
Montréal (Qu
Téléphone : 51

Dépôt légal : 4
Bibliothèque r
Bibliothèque r

Projet dirigé p
Révision lingu
Mise en pages
Conception gr

Tous droits de

© 2011 Éditi
www.quebec-a

Imprimé au Ca

FABRICE BOULANGER

AVIS DE TEMPÊTE

Québec Amérique

Introduction

Les enjeux sont différents. Les événements des dernières semaines ont bouleversé tout le petit monde qui m'entoure. Sous peu, ils bouleverseront beaucoup plus.

Pourtant, au fond de moi, rien n'a changé. Tout me pousse toujours dans cette même direction : retrouver ma mère. Maintenant que je sais qu'elle est vivante, nous pourrions enfin reformer une vraie famille. Or ça nous ferait le plus grand bien.

Je m'éponge le front, des gouttes de sueur perlent sur mes tempes… Pas sûr que cette entrée par effraction soit une très bonne idée…

Il y a trois ans, ma mère a pris la décision de disparaître et de simuler son décès. C'était sans aucun doute la meilleure solution.

Ma mère a mis sur pied un projet révolutionnaire qui permettrait à l'homme de contrôler le climat de la planète. Elle y a vu une solution au réchauffement climatique, une aide potentielle aux populations touchées par des conditions météo extrêmes, un outil pour assurer le bien-être de l'humanité. Malheureusement, d'autres ont vu dans le projet Tesla, c'est ainsi que ma mère l'appelle, une arme redoutable qui, une fois maîtrisée, pourrait faire chanter n'importe quel gouvernement…

Maude est là, immobile à côté de moi, comme suspendue dans le temps. Elle épie le poste de garde à l'entrée du bâtiment et le garde qui s'y trouve. Ma vue se brouille, une goutte de sueur vient de me tomber dans les yeux. Je dois me concentrer… Me concentrer…

Malgré la disparition de ma mère et toutes les précautions qu'elle a pu prendre, une société obscure du nom d'Atmospheric Energies est parvenue à dérober ses plans. Grâce à cela, une réplique de son projet est maintenant opérationnelle. Cette société est alliée à un groupe du nom de PREOS, qui réunit les plus grosses pétrolières au monde. PREOS menace à présent le Canada.

En effet, notre gouvernement s'apprête à faire passer une nouvelle loi, qui limitera la consommation d'essence de tous les véhicules circulant sur le territoire. L'objectif est de minimiser l'impact environnemental. Nous avons appris, il y a peu, que PREOS s'apprête à utiliser le projet Tesla sur une région du pays pour donner un exemple de sa puissance. Cette action aurait pour but de suggérer fortement au gouvernement de ne pas faire voter ce projet de loi.

Personne d'autre, à part nous, ne connaît l'existence du projet Tesla. Personne ne peut s'attendre aux conséquences de son utilisation et d'ailleurs, personne n'y croirait. Nous sommes les seuls à pouvoir intervenir rapidement pour empêcher un désastre. Or la seule manière d'agir est de prévenir ma mère pour qu'elle neutralise la tempête lancée par Atmospheric Energies avec son propre système…

Simon, à deux pas de moi, farfouille dans les armoires du bureau. Il espère trouver un indice. Quelque chose qui nous mette sur une piste. C'était son idée de venir ici… Ce n'est peut-être pas la meilleure qu'il ait eue…

Le projet de loi doit être dévoilé officiellement dans quelques jours, après il sera déposé au Parlement pour adoption. Si nous ne faisons rien d'ici là, la vie de bien des gens pourrait être bientôt menacée.

Hélas, ma mère s'est très bien cachée et personne de notre groupe ne sait exactement où elle peut se terrer. Depuis plusieurs jours, nous sommes tous à pied d'œuvre pour tenter de la retrouver, mais nous manquons cruellement d'informations. C'est pour cela que nous sommes coincés ici, aujourd'hui, dans ce petit bureau exigu, avec un temps d'opération très court. Pour tenter de retrouver la scientifique la plus en avance sur son temps, nous en sommes réduits à investiguer avec des méthodes qui datent de Sherlock Holmes !

Chapitre 1

Je pianote à toute vitesse. Mes doigts sur le clavier ont du mal à soutenir la cadence. Pas le choix, Maude a calculé dix-sept minutes entre chaque ronde du garde de sécurité. Dix-sept minutes pour entrer dans l'entreprise, fouiller les serveurs intranet de fond en comble, dénicher un document relatif aux travaux que ma mère a entrepris pour cette société et prendre la poudre d'escampette sans être remarqués. Va falloir jouer serré.

— Alors, tu penses pouvoir trouver quelque chose ? chuchote Maude qui fait le guet sur le seuil du bureau.

— C'est trop tôt pour le dire, il y a des dizaines de dossiers avec des dizaines de projets en cours, tous rédigés par des gens différents. C'est un vrai fouillis, là-dedans ! dis-je en parcourant le serveur de l'entreprise. C'est comme chercher une aiguille dans une botte de foin. Nous n'aurions jamais dû venir ici, c'est ridicule.

Je me tourne vers Simon, qui passe les dossiers papier au peigne fin.

— Qu'est-ce que ça donne de votre côté ?

— J'ai mis la main sur le contrat d'embauche signé par Catherine lorsqu'elle a été engagée, mais ça ne fournit aucune information intéressante. Je continue de chercher.

Difficile de savoir si les convictions de Simon vont s'avérer ou pas. C'est à cause de son idée que nous sommes là. En fouillant dans le dossier du projet Tesla, notre ami journaliste a découvert une phrase écrite à la main. D'après lui, il s'agit d'une sorte d'énigme, puisque la phrase ne semblait pas être dans son contexte : *En résonance, au nord changeant, d'infimes vagues de courant s'imbriqueront et...* Rien de plus. Il a retourné ces quelques mots dans tous les sens sans jamais aboutir à un résultat susceptible de nous indiquer une piste. C'est clairement une perte de temps que de farfouiller dans cette voie-là. Pourtant, Simon est parvenu à convaincre les autres que cette petite phrase n'est pas anodine. Ma mère n'aurait jamais laissé « traîner » ces quelques mots sans signification dans un dossier de l'importance du projet Tesla. Or, si cette phrase n'est pas en rapport avec le projet lui-même, Simon soupçonne qu'elle était peut-être là pour nous envoyer sur une piste.

Ma mère tient à son projet autant, je pense, qu'elle tient à nous, mon père et moi. Elle a simulé sa disparition parce qu'elle n'arrivait plus à concilier les deux. Elle n'ignorait pas que si son plan avait une faille, nous serions aussi menacés par Atmospheric Energies, qui ferait tout pour s'emparer de la partie manquante du projet : le code source, utile au fonctionnement de l'installation. C'est ce qui est arrivé.

Ma mère avait prévu certaines « sécurités ». L'une d'elles était de déposer une copie du projet et le code qui l'accompagne dans un coffre d'une banque de Montréal. Une autre était de prévoir un messager, Simon Kragaris, un de ses anciens profs devenu journaliste, qui devait me mettre sur la piste du document en cas de problème majeur, afin de le protéger.

D'après Simon, cette phrase est une sécurité supplémentaire. Pour lui, il est inconcevable que ma mère soit partie sans laisser d'adresse. Il y a forcément une trace pour que nous puissions la retrouver. Quelque chose d'évident mais que nous sommes les seuls à pouvoir interpréter. Pour le journaliste, cette petite phrase incomplète nous conduira au refuge de ma mère. Reste à savoir où chercher la suite. Une fois de plus, il s'est arrangé pour suggérer une piste crédible.

Ma mère a fréquenté deux institutions majeures pendant qu'elle élaborait son projet. D'une part, l'université où elle a connu Simon. D'autre part, une petite société du nom d'Énertech, spécialisée dans la recherche sur les énergies propres.

Simon est convaincu que si la base du projet, qu'elle a conçue à l'université, révèle une partie de l'énigme, le travail qu'elle a fait chez Énertech contient peut-être la suite.

Je suis sceptique. Depuis le début, il me promet de retrouver ma mère grâce au décryptage du projet, or cela fait maintenant plusieurs jours qu'il a le nez dedans et qu'il n'en ressort rien du tout. Je commence à croire que ce journaliste m'a promis monts et merveilles pour avoir accès au dossier afin de faire le reportage qui sauvera sa carrière. Il n'a proposé cette fouille chez Énertech que pour camoufler son incompétence et profiter, encore un peu, du temps qu'il peut passer le nez dans le dossier pour réunir toutes les informations dont il a besoin.

À mon grand désarroi, Maude, mon père et David estiment, eux, que nous ne pouvons négliger aucune piste. Et comme le journaliste est le seul parmi nous à être capable de déchiffrer le charabia scientifique, nous avons en plus pris le parti de l'emmener avec nous.

— Plus que sept minutes, annonce Maude toujours à l'affût près de la porte vitrée.

— Bon sang, il aurait tout de même été plus simple que le PDG de la compagnie nous laisse jeter un œil au dossier! dis-je, stressée. Je suis sûre qu'en insistant un peu…

— Je vous assure, Lucie, j'ai fait tout ce que j'ai pu de ce côté-là! m'assure le journaliste. Même après trois appels, il n'a pas cédé, il craignait trop l'espionnage industriel.

Cela fait un peu plus de deux jours que nous avons mis sur pied cette effraction. Mon père n'était pas emballé par l'idée, d'autant que rien ne garantit que nous allons trouver ce que nous cherchons. Et puis, la dernière fois que j'ai fait ce genre de coup, ça a failli mal finir. Enfin, comme toujours, Maude nous a convaincus que l'opération ne présentait pas plus de risques que d'aller faire du magasinage le jour du *Boxing Day*!

14

En gros, après un repérage, il s'est avéré que le bâtiment, une structure carrée presque entièrement vitrée avec un jardin en son centre, ne comportait que quelques caméras extérieures et intérieures, ainsi qu'un garde de faction à l'entrée. Nous avons évité les caméras extérieures en suivant un itinéraire précis. Une fois en dedans, nous nous sommes dirigés vers le bureau qui nous intéressait pendant que le garde terminait son tour de ronde et qu'il n'était pas encore devant les écrans de surveillance. Enfin, dans le bureau, j'ai réussi à accéder au système de sécurité pour mettre les caméras en pause pendant dix-sept minutes, le temps qui sépare chacune des rondes du vigile. Ce genre de petite entreprise investit toujours le moins possible dans la sécurité, ce qui en fait une proie facile pour des intrusions comme celle-ci.

— Je l'ai !

Simon vient s'asseoir près de moi et examine le dossier qui porte le nom de Catherine Delambre, prêt à analyser les données que nous allons en extraire.

— Je savais qu'on trouverait quelque chose, murmure-t-il.

— Ça vous arrange bien, avouez ! dis-je à voix basse.

Simon ne relève pas ma remarque.

Je clique sur le petit icône du fichier. Son enthousiasme s'efface immédiatement. Le dossier est protégé par un mot de passe de huit caractères.

— Bon sang, pourquoi faut-il toujours que ce soit si compliqué ?

— Lucie, réfléchissez, votre mère ne vous a jamais parlé de mots qu'il vous fallait retenir ? N'y a-t-il pas quelque chose dans votre passé commun, à vous et votre mère, à quoi ces huit caractères pourraient correspondre ?

— Cinq minutes, Lucie… chuchote Maude.

Je bredouille.

— En cinq minutes…

Le stress me paralyse. J'ai l'impression que mon cerveau est en train de faire la sieste. J'essaie, malgré tout, ce qui me passe par la tête. Notre adresse, nos dates de naissance, les films cultes de ma mère, les initiales de ses auteurs préférés… rien n'y fait. Le dossier reste verrouillé. Tout ce que je constate c'est que le système n'admet que trois lettres et cinq autres symboles ! Ça peut être n'importe quoi.

— J'y arriverai pas, dis-je, inquiète. Il me faut plus de temps…

— Tu ne peux pas sauvegarder le fichier ? demande Maude.

Je n'avais même pas pensé à cette possibilité ! En le sauvegardant, je pourrai toujours chercher le mot de passe plus tard.

— Vais essayer… Faut que je branche mon ordi sur leur réseau.

En quelques secondes, je sors mon portable. Une chance, l'ordi que m'a offert ma tante est une vraie fusée au démarrage. Il est prêt à travailler presque instantanément.

Comme je m'affaire le plus vite possible sur mon PC, Maude prévient Simon de commencer à ranger tout ce qu'il a sorti des classeurs à tiroirs, en vue de notre départ.

Quelques manipulations simples me suffisent pour copier le dossier sur le disque dur de mon portable. C'est à ce moment-là que je remarque un détail qui ne m'était pas apparu avant.

16

— Il y a quelqu'un d'autre !

— Quoi ? rétorque Maude, angoissée, en essayant de repérer l'individu dont je parle.

— Non, je veux dire que deux « administrateurs » ont travaillé sur ce dossier à partir de leur poste informatique. Ma mère n'était pas la seule. La dernière personne à avoir fermé le dossier, un homme du nom de E. Wahlberg, est probablement celui qui l'a verrouillé. Simon, vous avez quelque chose sur ce type dans les papiers de la société ?

— Donnez-moi deux secondes, je suis en train de…

Simon trébuche et manque de s'étaler de tout son long avec la pile de dossiers qu'il a entre les bras.

— Quelle importance, ce Wahlberg ? s'impatiente Maude, en voyant le journaliste essayer de se dépêtrer.

— Si c'est bien lui qui a verrouillé le dossier, il est probable qu'il utilise un code qui lui est propre. Or c'est souvent la date d'anniversaire, le numéro d'assurance sociale, le nom de l'épouse, ou quelque chose dans le genre. Si Simon découvre le contrat d'embauche de cet homme, il y a des chances que je puisse trouver le mot de passe en me basant sur ses informations personnelles.

Maude consulte sa montre puis, à travers les murs vitrés, le vigile au poste de garde qui prépare son tour de ronde.

— Deux minutes. Dépêchez-vous.

Je regarde mon écran.

— C'est bon, le fichier est copié. Simon, où en êtes-vous ?

— Je cherche, je cherche…

J'en profite pour débrancher mon ordinateur du réseau de l'entreprise. Nous sommes dans le bureau des ressources humaines, à l'arrière du bâtiment. D'ici, il est facile de garder un œil sur toute l'entreprise. Presque tous les murs sont faits de verre fumé bleu, excepté ceux qui donnent sur le jardin intérieur, ce qui plonge les bureaux dans une ambiance particulière. J'ai l'impression d'être dans un film de science-fiction.

Nous allons ressortir par où nous sommes entrés. Il y a une porte à l'arrière de l'édifice, d'où nous aurons directement accès au stationnement. La porte était verrouillée, mais Maude n'a pas eu de grosses difficultés à l'ouvrir quand nous sommes arrivés.

Maude et moi sommes tapies dans l'ombre en attendant que Simon ait fini de fouiller dans les classeurs.

— Une minute, Simon… insiste Maude. Il est temps de décamper.

Simon se tourne vers nous, désappointé.

— Désolé, il n'y a rien sur ce Wahlberg. On dirait qu'il n'a jamais travaillé ici.

— Laissez faire, dis-je au journaliste, on n'a plus assez de t…

— Hé, qu'est-ce qu'il fait, lui ! sursaute Maude, prise de panique.

Mon amie me montre le garde inquiet devant ses écrans de surveillance. On dirait qu'il regarde dans notre direction. Il passe un coup de fil.

Mon sang ne fait qu'un tour. Je vais jeter un œil à l'ordinateur sur lequel j'ai mis les caméras en pause. Quelque chose cloche…

— Simon… l'ordi, vous l'avez éteint ?

— C'est que… enfin, en me prenant les pieds dans la prise… baragouine le journaliste. Mais je l'ai rebranché immédiatement !

Et voilà ! L'ordinateur s'est malencontreusement éteint sans prendre en compte les dernières modifications. Dès le rebranchement, il s'est réinitialisé… et les caméras aussi !

Je dois être pâle comme une morte. Simon et moi sommes en plein dans le champ de la caméra. Je me tourne vers Maude.

— Il nous voit !!! dis-je en montrant la caméra de surveillance à l'angle du couloir.

Maude attrape aussitôt la même teinte que moi.

— On décampe… TOUT DE SUITE !

J'attrape mon PC, que j'enfourne dans mon sac en patchwork, seul souvenir qui me reste de ma mère. Simon a honte de sa maladresse.

— Je suis désolé… je ne… enfin, moi et les ordinateurs…

— C'est bon, Simon, on s'en reparlera plus tard, faut déguerpir, dis-je en tirant le journaliste.

Nous sommes toujours dans le bureau quand toutes les lumières du bâtiment s'allument. Le visage de Maude est crispé. Elle n'est plus aussi à l'aise que d'habitude. Elle n'en perd pas pour autant sa faculté d'analyse et nous guide très précisément dans la direction que nous devons suivre.

— OK, tout à l'heure on a profité de l'ombre pour se faufiler jusqu'ici. Va falloir faire autrement ce coup-ci. Il y a une caméra derrière nous et une autre devant. La porte de sortie arrière est à mi-distance. Longez le mur du fond. Vu les angles de prise de vue, on sera moins visibles en se collant au mur. Et masquez votre visage comme vous le pouvez. En marchant accroupis, le garde ne nous verra pas, il est trop loin. Une fois dans le stationnement, n'oubliez pas de reprendre exactement le chemin par lequel nous sommes venus afin d'éviter les caméras extérieures.

Le garde s'approche en contournant le jardin intérieur. Maude sort deux petits boîtiers de son pantalon. On dirait de petites boîtes à bijoux.

— Maude, ça ne sert plus à rien toutes ces précautions, on a été repérés par la caméra du bureau.

— Lucie, intervient sèchement Maude, tu ne sais pas ce que la caméra a vu, ni si l'image est d'une qualité suffisante pour vous identifier clairement. On ne va pas faire exprès pour s'exposer maintenant que toutes les lumières sont allumées, compris ?

C'est la première fois que Maude me parle sur un ton aussi autoritaire. Je suis impressionnée.

— Euh, oui… compris !

Mon amie appuie sur un petit bouton au sommet de ses boîtes à bijoux et les lance énergiquement, comme des galets qu'on fait ricocher sur l'eau, jusqu'aux deux extrémités du couloir, juste sous les deux caméras.

Aussitôt, les petits contenants émettent une fumée blanche très épaisse.

— Allez, on dégage ! ordonne Maude en nous poussant dans le couloir.

Nous n'avons pas le choix de nous masquer le visage tellement les fumigènes prennent à la gorge. Sur le coup, nous ressemblons à des cambrioleurs de diligence.

Il ne nous faut que quelques secondes pour remettre le nez dehors. Simon et moi suivons Maude pas à pas pour sortir de l'enceinte du complexe sans nous faire remarquer par les caméras extérieures.

À peine de l'autre côté de la rue, nous percevons plusieurs sirènes de police qui approchent. Nous avons bel et bien été repérés. Une chance que Maude était avec nous pour nous organiser une sortie sans encombre !

Quelques rues plus loin, nous regagnons notre fourgon-nette en toute sécurité. Essoufflée, je me tourne vers Simon.

— Cette intrusion était complètement inutile, vous le saviez très bien ! On a failli se faire pincer.

— Lucie, rétorque Maude à la défense du journaliste, nous devons mettre toutes les chances de notre côté !

Rien à faire, je suis en rage.

— Eh bien pour le moment, on met pas mal de bourdes de notre côté ! Vous m'aviez dit, Simon, qu'après avoir analysé le projet, vous pourriez retrouver ma mère, pourquoi vous n'y arrivez pas ?

— Ce n'est pas si simple, répond-il. Ces données sont très complexes.

— Vous n'êtes pas à la hauteur, et pour donner l'impression que vous servez à quelque chose, vous élaborez une théorie tirée par les cheveux en partant d'une note griffonnée dans une marge ! Voyez où ça nous mène !

— Je vous ai fait mes excuses pour tout à l'heure, je pense que ça devrait suffire. Je ne suis pas là pour épancher votre stress, Lucie.

— Je vous ai fait confiance en partageant avec vous ce que je savais sur le projet, en croyant avoir affaire à un vrai journaliste qui pourrait m'aider, et ça ne donne rien du tout. Vous me faites l'impression d'une espèce de Sherlock Holmes qui essaye de voir des énigmes là où il n'y en a pas. Nous perdons du temps inutilement !

— Lucie, essaye de te calmer un peu, réplique Maude en démarrant la voiture. Ça ne s'est pas bien passé, mais on a tout de même déniché quelque chose.

— Quoi ? Un autre dossier qu'il faudra ouvrir à tout prix en espérant que MONSIEUR l'enquêteur y trouve une autre énigme douteuse ? Plutôt qu'écouter les balivernes d'un journaliste passé date, me semble qu'on devrait exploiter des pistes plus sérieuses.

— C'est bien là votre problème, Lucie, réplique aussitôt le principal intéressé, vous n'avez aucune autre piste.

Chapitre 2

De loin, on jurerait un site désaffecté. L'endroit est très tranquille. Un petit motel peu fréquenté, le long de l'autoroute 20. C'est ici que, depuis quelques jours, nous avons établi notre quartier général. Nous n'avions pas le choix.

Depuis notre départ de chez Énertech, tout à l'heure, le silence règne dans la fourgonnette. J'avoue que j'étais stressée à l'idée de m'être fait repérée par cette fichue caméra. Notre situation pourrait être sérieusement compromise à cause de cette fausse manœuvre.

Simon, conscient de son erreur et, je l'avoue, particulièrement patient avec moi, réitère ses excuses en arrivant.

— Moi et les ordinateurs, Lucie, ça fait deux… Ce n'est pas pour rien si j'ai une recherchiste au bureau. J'ai un mauvais karma avec ces appareils-là. Eux et moi, nous ne sommes pas de la même génération.

— Z'auriez pu faire attention ! dis-je, encore un peu bougonneuse.

— Le stress…

— En coupant le courant sans sortir de la session active de l'ordinateur, celui-ci n'a pas pu sauvegarder les paramètres que j'avais modifiés… par exemple, le fait que les caméras avaient été mises en pause. Quand vous avez rebranché l'ordinateur, il s'est réinitialisé et les caméras ont redémarré.

— Je retiendrai la leçon.

— En tout cas, ce n'est pas à vous que je demanderai de jeter un œil à mes courriels, plaisante Maude, qui a retrouvé sa bonne humeur.

Nous arrivons dans le stationnement du motel.

Depuis le vol du Casino, notre maison est sous surveillance. L'appartement de David est trop petit et puis nous ne voulons pas qu'il ait des problèmes si jamais quelqu'un l'aperçoit en notre compagnie. Pas question non plus d'aller chez Simon. Si les choses venaient à mal tourner, personne ne désire que son épouse soit impliquée. Quant à Maude… je ne sais même pas si Maude a un domicile fixe. C'est un peu comme si elle était toujours en cavale.

Nous avons loué plusieurs chambres pour notre confort à tous, mais c'est généralement dans celle que je partage avec mon père que nous avons rendez-vous.

Maude, Simon et moi arrivons peu avant minuit. Je suis étonnée de trouver la chambre vide. Un coup d'œil à l'extérieur me confirme que mon père et David ne sont pas encore rentrés. David m'avait promis de faire un saut chez son beau-père avec mon paternel pour vérifier si son rétablissement était en bonne voie. Ils ne devraient pas tarder.

Je m'affale à la table, quelque peu découragée.

— Il nous reste cinq jours avant le dévoilement officiel du projet de loi sur la consommation des véhicules circulant au Canada. Cinq jours avant que PREOS ne lance une offensive. Comment on va faire pour retrouver ma mère d'ici là ? dis-je en tenant ma tête dans mes mains. Il nous faut quelque chose de concret pour mener des recherches.

— Puis-je émettre une hypothèse, Lucie ? me demande Simon en s'assoyant dans le sofa.

Je ne suis pas chaude à l'idée d'entendre encore une des théories du journaliste. Maude, par contre, a l'air intéressée.

— Si ça n'implique pas que vous utilisiez un ordinateur… Dites toujours !

— J'étais chargé par Catherine de remettre à Lucie les informations qui la mèneraient au projet Tesla si quelque chose se passait mal. C'est ce qui est arrivé lorsque son père est tombé dans le coma. J'ai fait office de messager. Dans le document figurait une phrase qui, je le suppose, pourrait avoir un rapport avec la position géographique de Catherine. On suppose aussi que cette phrase est incomplète.

— Ça fait pas mal de suppositions, vous ne trouvez pas ? dis-je, sceptique.

— C'est tout ce qu'on a, Lucie ! ajoute Maude en prenant place près de moi.

— Si la seconde partie de la phrase se trouve, comme je le crois, dans les fichiers laissés par Catherine chez Énertech, peut-être qu'il faut trouver le messager qui va vous ouvrir les fichiers ?

Ça vous arrangerait bien, n'est-ce pas, d'avoir quelqu'un qui vous aide un peu ! dis-je sournoisement.

Maude me dévisage d'un air sévère.

— Lucie, je t'en prie.

J'essaye de garder la tête froide.

— Vous pensez que ma mère avait un complice dans cette entreprise ? Quelqu'un qui attend que je prenne contact avec lui ? dis-je, sceptique.

— Peut-être bien, oui.

— Ce Wahlberg, n'est-ce pas ? devine mon amie.

— C'est le plus probable.

— Mais on n'a rien trouvé dans les dossiers d'Énertech sur ce type. C'est à croire qu'il n'a jamais travaillé pour eux. Et puis, vous Simon, vous êtes venu à moi au bon moment, quand j'avais besoin de vous. Ce type-là, il est où ? On n'a pas le temps de le chercher sur toute la planète ! Il ne pourrait pas venir frapper à notre porte au bon moment, non ?

Au même instant, on cogne à la porte de la chambre.

Un frisson me parcourt l'échine. La coïncidence est stupéfiante. Cet homme nous suivait-il ? Comment a-t-il su que nous étions ici ?

Même pas le temps de dire « Entrez » que la porte s'ouvre. Mon enthousiasme retombe immédiatement. Mon père et David font leur entrée.

26

En voyant ma réaction, mon père ne peut retenir une exclamation.

— Oh wow, quel accueil ! Je ne m'attendais pas à des applaudissements, mais tout de même.

— Notre demoiselle est un peu découragée, leur apprend Maude. Je pense qu'elle aurait bien besoin d'un câlin de son chevalier servant pour lui remonter le moral.

David ne se fait pas prier. Sourire jusqu'aux oreilles, il vient m'embrasser tendrement.

— Alors, est-ce que vous avez trouvé quelque chose chez Énertech ? demande-t-il dans mon cou.

— Oui et non. Un fichier protégé sur lequel figure le nom de ma mère et d'un autre individu, sans doute un collaborateur. J'ai peur que cette piste ne mène nulle part. Et puis… je crois que le garde nous a vus.

Mon père fait des gros yeux à Maude, qui lui avait promis que tout se passerait bien. Simon intervient.

— Si Maude n'avait pas été là, Sidney, nous ne serions peut-être pas ici. C'est de ma faute si l'opération a mal tourné.

— Le garde vous a vus ? demande David.

— Peut-être de loin seulement. Le problème vient surtout des caméras. Elles se sont rallumées au mauvais moment.

David a l'air embêté. Je l'interroge du regard.

— Ça devient délicat. Je me suis fait interroger tout à l'heure. Mes supérieurs trouvent étonnant que j'aie réquisitionné à l'aéroport un véhicule où justement tu te trouvais en compagnie d'un journaliste. Les services de l'aéroport sont convaincus que c'est bien toi qu'ils ont vue descendre de la voiture de Simon après l'arrestation de Kynn.

— Tu n'as pas démenti la rumeur ?

— Oui, évidemment, c'est ce qui me donne un répit. Les gens qui t'ont vue ne peuvent pas le garantir à cent pour cent, mais le doute subsiste. Si une vidéo vous montre, toi et Simon, en train de faire un cambriolage, ce ne sera plus un doute, mais une certitude. Je risque d'être mis en examen.

— Tes supérieurs ne croient pas aux coïncidences ?

— Je te signale que c'est moi qui t'ai sortie des griffes de Lampron il y a six mois, que c'est moi aussi qui ai été pris en otage lors du vol du Casino que tout le monde croit perpétré par ta tante Arlène et que c'est encore moi qui me retrouve « par hasard » dans une voiture en plein milieu des pistes de l'aéroport avec toi comme passagère ! La coïncidence commence à être difficile à faire passer.

Maude se lève avec un air des plus sérieux.

— À partir de maintenant, on ne prend plus aucun risque, intervient-elle. Je subviens financièrement aux besoins de tout le monde. Vous me rembourserez plus tard. Je vous interdis d'utiliser vos cartes de débit, crédit et autres Air Miles ! Vous n'utilisez que du *cash* que JE vous donne. Je suis la seule ici à être complètement inconnue de la police ou des médias. Interdit aussi d'utiliser les cellulaires, éteignez-les. Préférez les postes fixes ou mieux, les cabines téléphoniques. Vous n'appelez plus vos proches amis ni la famille, tous ces gens sont peut-être déjà sur écoute. Lucie, si tu veux utiliser Internet, uniquement via des accès WiFi dans les lieux publics, pas via des connections fixes comme celle de ce motel. Surtout, pas question d'ouvrir une boîte de courriels, on pourrait vous repérer trop facilement. Toi et ton père, si vous devez vous déplacer dans des endroits publics, il est impératif de vous déguiser. Personne ne doit pouvoir nous retrouver. Surveillez vos arrières, toi en particulier, David, il se pourrait que tes boss te collent quelqu'un au train.

Impossible de contredire Maude quand elle parle sur ce ton. Nous acquiesçons tous à ses recommandations pendant qu'elle fait la distribution des quelques billets qu'elle a dans ses poches.

— Jusque-là, je ne pense pas que mes supérieurs se doutent de quelque chose, nous rassure David.

Je reprends ma conversation avec lui.

— Et Kynn ? Maintenant qu'il est derrière les barreaux, vas-tu être capable de le faire inculper pour sa prétendue participation au vol du Casino, au moins ?

— J'ai essayé, mais c'est un peu compliqué… Kynn a un excellent alibi. Il était au bar de son hôtel en compagnie du serveur toute la soirée du réveillon, jusqu'à une heure avancée de la nuit. Il y a des témoins, on a vérifié. Il a quitté l'établissement bien plus tard, soi-disant pour prendre l'air, mais je soupçonne que c'est à ce moment qu'il est allé se mettre en faction dans les buissons près de ta maison. Malgré ce que j'ai pu inventer comme soupçons, il est impossible de le faire inculper pour le vol du Casino. Personne n'y a cru. On n'a pas pu le garder en détention pour ce motif-là.

Je sursaute.

— Comment ça, vous n'avez pas pu le garder en détention ? Tu veux dire qu'il est libre ?

— Ce n'est pas notre choix, on avait de quoi le garder au frais pour quelques jours, mais…

— David, me dis pas que vous l'avez relâché, dis-je, paniquée.

— Je crois que Lampron est derrière sa libération.

Maude intervient.

— Mais Kynn et Lampron sont à couteaux tirés ! Ils ne sont vraiment pas le genre à s'entraider !

— La première fois que Lampron et Kynn se sont rencontrés dans le petit parc du centre-ville, Kynn a bien dit qu'il était un des seuls scientifiques d'Atmospheric Energies à pouvoir décrypter le code source qu'ils nous ont volé. Imaginez les dirigeants d'Atmospheric qui récupèrent le code mais qui n'ont plus Kynn sous la main pour le décoder. Il est clair qu'ils vont demander à Lampron de faire jouer les relations qui lui restent à Montréal pour sortir le gars de là et le rapatrier au plus vite à Nuuk.

Je m'écroule sur la table, déconfite.

— Décidément, on n'a que de bonnes nouvelles, ce soir !

— Pour ceux que ça intéresse, je vais bien !!! vocifère mon père en plaisantant. Mon médecin personnel, beau-père de David, a trouvé que mon état s'améliorait de jour en jour et que j'avais bonne mine…

Maude s'esclaffe. Sa bonne humeur est toujours un remède en cas de coups durs. Son rire remonte instantanément le moral de la troupe.

— Il y a quand même un détail bizarre à propos de Kynn, poursuit David.

— Quoi, sa maîtrise de la bicyclette sur neige ?

— Kynn, ce n'est pas son vrai nom. Après analyse des empreintes digitales et ADN, on s'est rendu compte que son identité correspondait à un type qui a disparu il y a quelques années sans laisser de traces.

— Ce n'est pas le premier ! dis-je en pensant à ma mère.

— Justement, Lucie. Il y a un peu plus de trois ans, ce type a officiellement disparu sur le même bateau que ta mère. Il se nomme Edmund Wahlberg.

▲ ▼ ▲

Je n'en reviens pas ! Kynn est E. Wahlberg. Kynn a travaillé avec ma mère ! Sur le même dossier !

— J'aurais dû m'en douter qu'il ne la quitterait pas de sitôt ! chuchote mon père en attrapant une copie du dossier et la photo que David vient de déposer sur la table.

Je me tourne vers lui.

— Qu'est-ce que tu veux dire, papa ?

— Je le connais.

— Tu connais Kynn… enfin, ce Wahlberg ?

— C'était un collaborateur de ta mère au temps où elle travaillait chez Énertech. C'était aussi un dragueur acharné qui ne lâchait pas prise rapidement. Il est venu une ou deux fois à la maison. T'avais tout juste dix ans à l'époque. Je détestais ce type.

31

— Ce n'est pas pour rien, alors, que j'avais l'impression de l'avoir déjà vu quelque part…

— Excusez-moi, Sidney, mais nous n'avons trouvé aucune trace de ce Wahlberg dans les dossiers d'Énertech, précise Simon.

— Normal, il ne travaillait pas pour eux, c'était un chercheur de l'Université Laval à Québec. Catherine l'avait rencontré à un colloque. Ils avaient des champs de recherche complémentaires et Wahlberg s'est vite intéressé à ce qu'avait développé Catherine… ou plus simplement à Catherine. Ils restaient en contact permanent et Wahlberg est venu plusieurs fois à Montréal dans les bureaux d'Énertech pour travailler avec elle.

Mon père n'a pas l'air heureux du tout d'avoir retrouvé la trace de cet homme.

— Pourquoi le détestais-tu ainsi ?

— C'est à cause de lui que la relation entre ta mère et moi a commencé à battre de l'aile. C'est à cause de ce type que j'ai toléré la solution de la disparition de ta mère.

— Tu ne savais pas qu'il avait disparu avec elle sur le bateau ? Les médias avaient parlé de l'accident à l'époque, non ?

— On avait besoin d'un break, notre couple ne fonctionnait plus comme avant. Ta mère se consacrait de plus en plus à son projet et n'avait presque plus de temps pour nous. Quand elle est partie pour cette expédition, Catherine m'avait vaguement dit comment elle comptait s'y prendre… sans me parler de lui, évidemment. Je n'ai pas prêté beaucoup attention aux scoops des médias lorsqu'est survenu l'accident. J'ai joué au veuf éploré pour faire crédible et puis j'ai tourné la page. Je ne savais pas qui était mêlé à cette histoire. Je ne voulais pas le savoir. C'était peut-être mieux ainsi, lance rageusement mon père en envoyant balader le dossier de David sur le mur d'en face.

Plus personne ne dit un mot. Mon père ne pouvait pas s'attendre à un revers aussi déstabilisant. Maude essaye une fois de plus de remonter le moral de notre petit groupe.

— Sidney, on ne peut que faire des suppositions sur ce qui s'est passé entre eux deux. Par contre, une chose est certaine : Edmund Wahlberg est maintenant du côté d'Atmospheric Energies. Il a donc délibérément quitté le projet de Catherine pour travailler pour la société rivale.

— Ça ne va pas m'aider à l'apprécier. D'autant plus que c'est lui qui m'a tiré dessus et balancé dans le coma pendant plusieurs jours.

— En tout cas, pour ce qui est de l'interroger afin de découvrir où se trouve Catherine, oubliez ça. À l'heure actuelle, il doit être en route pour le Groenland, affirme David.

— Il y a une piste que nous pouvons suivre, suggère mon père.

Nous sommes tous suspendus à ses lèvres, moi en particulier.

— À l'époque, Wahlberg habitait avec ses parents à Québec. Si, comme Catherine, il a un tant soit peu préparé sa disparition, c'est possible qu'il ait laissé des traces là-bas…

J'aimerais comprendre un peu mieux la pensée de mon père.

— Comme quoi, par exemple ?

— N'importe quoi qui puisse nous donner un indice. Un carnet d'adresses, des photos, des documents personnels ou tout simplement le témoignage de ses parents.

Je regarde Simon, trop fière de pouvoir lui décocher une petite flèche.

— Enfin une piste concrète qu'on va pouvoir suivre.

Il me renvoie la balle aussitôt.

— Sur place, nous trouverons peut-être aussi le mot de passe du fichier.

Il m'énerve... Maude essaye de se faire rassembleuse.

— Tout le monde est partant ?

— J'ai l'adresse dans le dossier. D'ailleurs, un congé loin du bureau ne me fera pas de mal, commente David.

Mon regard se porte vers Simon.

— Vous n'êtes pas obligé de nous suivre, Simon.

— Si je veux faire un reportage complet sur cette histoire, oui, je suis obligé. Et puis... vous allez avoir besoin de moi, ajoute-t-il avec un sourire en coin. Même si vous me trouvez « passé date » !

— C'est donc oui !

— J'aimerais toutefois parler à ma femme avant de vous le confirmer, Lucie. Elle risque d'avoir besoin d'être rassurée.

Maude se lève du canapé sur lequel elle s'était avachie et s'étire en regardant par la fenêtre.

— Mieux vaut éviter un appel direct à votre femme, Simon, elle pourrait être sur écoute. Est-ce que quelqu'un de Radio-Canada ne pourrait pas aller lui faire le message en personne ?

— Ma recherchiste.

— Alors on lui téléphonera demain matin. Je doute que la GRC puisse facilement mettre une entreprise comme celle-là sur écoute. En attendant, tout le monde au dod…

Mon amie s'arrête au beau milieu de sa phrase, figée à quelques pas de la fenêtre.

— David, tu crois vraiment que tes supérieurs ne se doutent de rien ? Parce que si ce n'est pas des policiers en planque qui sont dans la voiture là-bas, je me demande bien ce que c'est.

Chapitre 3

Je commence à croire que Maude est une spécialiste de l'évasion. Hier soir, en l'espace de quinze minutes, nous étions sortis du motel sans même que les policiers de faction se soient aperçus de quoi que ce soit.

Dès qu'elle les a remarqués, Maude a quitté la chambre du motel en sortant par la fenêtre arrière... ce qui représentait probablement la partie la plus périlleuse de son plan. Comme les policiers étaient arrivés après David, ils n'avaient pas vu arriver Maude et ne pouvaient pas l'associer à notre groupe. Elle a donc récupéré notre véhicule tout naturellement et a quitté le motel pour aller se stationner à cinq cents mètres de là, derrière l'établissement, sur un rang de campagne. C'était ensuite à notre tour de passer par la fenêtre et de la rejoindre à travers champs avant de prendre la poudre d'escampette. Nous avons roulé une partie de la nuit au gré des humeurs de Maude, pour finalement nous retrouver cachés Dieu sait où, au milieu de nulle part.

Je me réveille en sursaut ce matin au bruit de la portière qui se referme. Tout le monde dormait. Enfin presque… David a l'air éveillé depuis un bon moment. Nous avons quitté le motel tard dans la nuit et nous sommes tous exténués.

L'air froid qui vient d'entrer dans l'habitacle nous donne un coup de fouet. Le soleil commence à se lever. Je me demande où nous avons atterri. C'est bien simple, devant moi, il n'y a rien. Nous sommes en rase campagne. Ciel blanc de l'aube sur champ d'hiver. Pas beaucoup de contraste. C'est éblouissant. La fourgonnette est stationnée à côté d'une vieille grange prête à s'effondrer. La neige recouvre tout le décor, c'est à se demander pourquoi une route mène jusqu'ici et surtout qui peut passer son temps à la déneiger. Il y a plus étrange encore : Maude vient de rentrer dans le véhicule avec un plateau chargé de pâtisseries et deux thermos sous le bras.

— Désolée, j'ai juste du café… est-ce que c'est correct ?

Nous sommes ébahis par la quantité impressionnante de vivres.

— Mais Maude… d'où tu sors tout ça ? dis-je, épatée. Il n'y a rien à des kilomètres à la ronde !

— C'est dans la grange, ils offrent un service de traiteur, explique-t-elle avec un large sourire.

Pas la peine d'insister, je sais que Maude ne révélera pas son secret. Par contre, il me suffit d'une bouchée de croissant chaud pour reconnaître la touche de la pâtissière hors pair qu'est mon amie.

Nous sommes aux anges. Ce petit-déjeuner nous remet d'aplomb.

— Vous êtes vraiment pleine de ressources ! s'extasie Simon.

— Disons que j'ai appris à être prévoyante, sourit Maude en avalant deux comprimés sortis de sa poche avec une gorgée de café.

J'observe mon amie, inquiète. À peine Maude a-t-elle avalé deux bouchées de croissant qu'elle remet le moteur en marche comme si, délibérément, elle ne voulait pas répondre à mon regard.

Assise à côté d'elle sur le siège du passager, je ne relève pas son comportement. Je ne sais pas trop comment aborder le sujet.

La dernière fois que Maude a pris ces médicaments, c'était après la fusillade avec Lampron, l'homme de main d'Atmospheric Energies. J'ai dû les lui pousser de force dans la bouche car elle était complètement paralysée. Ce sont des anxiolytiques.

D'après le beau-père de David, on peut prescrire ce genre de médicaments dans bien des situations : peur, angoisse, certains cas de dépression ou trouble du stress post-traumatique. C'est ce dernier cas de figure qui m'inquiète le plus, car il est très présent chez les anciens militaires.

— Je ne sais pas d'où ça vient, lance Maude sans prévenir.

— Hein, de quoi tu parles ?

— Tu sais très bien de quoi je parle. De l'état dans lequel j'étais plongée l'autre jour quand Lampron nous poursuivait.

De l'état qui m'oblige à être presque dépendante de ces saloperies de pilules. On est de plus en plus souvent ensemble, Lucie, je suis consciente que je te dois des explications et j'aimerais t'en donner. Malheureusement, je n'en ai pas.

Je suis flattée par l'honnêteté de mon amie, qui la place encore un peu plus dans mon cercle très restreint de personnes de confiance.

— Tu veux dire qu'un jour tu t'es retrouvée comme ça, complètement figée sans savoir pourquoi ?

— Je ne réagis qu'à ce qui ressemble à des coups de feu, mais la première fois que c'est arrivé, c'était dans une rue de Montréal. Des ouvriers travaillaient avec un marteau pneumatique. On m'a conduite à l'hôpital. Les médecins ont diagnostiqué un choc nerveux.

Nous quittons notre champ pour emprunter une route de campagne. Alors que tous les autres passagers sont occupés à déjeuner, j'ai du mal à avaler mon croissant. Je reste songeuse un instant.

— Tu penses que c'est lié à ton passé militaire ?

— Je n'en doute pas une minute. Arlène sait de quoi il s'agit, mais elle ne veut pas m'en parler.

— Ben voyons donc ! Me semblait que c'était le grand amour !

— C'est justement pour ça. Elle ne veut pas me faire revivre ce qui s'est passé.

— Ça doit être terriblement frustrant pour toi de ne pas savoir.

— C'est peut-être mieux ainsi. J'ai vu tellement de choses dégueulasses quand j'étais dans le JTF2.

— Dans le quoi ?

— *Joint Task Force Two* ou Deuxième Force opérationnelle interarmées. C'est le groupe d'intervention spécialisé dans l'antiterrorisme dont ta tante et moi faisions partie dans les services secrets.

— Tu penses que ça date de cette époque-là ?

— J'en suis convaincue. Les choses auxquelles ta tante et moi avons assisté en cours de mission dépassent de loin les pires cauchemars qu'un être humain normal peut faire, déclare Maude.

Pour la seconde fois depuis que je la connais, je me rends compte qu'il y a des images terribles derrière le beau sourire que Maude arbore la plupart du temps. Des images de guerre, de violence innommable, de cruauté. Des images dont elle ne peut pas se défaire et dont elle subit les séquelles tous les jours.

— Qu'en disent les médecins ?

— Le diagnostic n'est pas difficile à poser : trouble du stress post-traumatique. Remède : les p'tites pilules !

— Rien d'autre ?

— Revivre et décoder l'événement avec un psy ou sous hypnose, ça pourrait aider. Pas sûre que ça me tente. J'ai eu ma dose d'images fortes !

— Il y a des chances que ça disparaisse ?

— Personne ne peut le dire. Impossible de comprendre comment fonctionne le subconscient. En attendant, je prends certaines précautions : essayer de vivre à l'abri du bruit, prendre ma médication et ne pas travailler dans la construction, conclut Maude en rigolant.

J'esquisse un petit sourire timide. Je ne sais pas où Maude puise sa bonne humeur.

Mon amie sort une photo de sa poche. Elle me l'a déjà montrée. C'est celle d'un adolescent iranien qu'elle a rencontré lors d'une de ses missions. Un enfant dont les deux jambes ont été pulvérisées par une mine antipersonnel.

— Tu sais, côtoyer les jeunes comme Jahan, ça remet tes valeurs à leur juste place. Mes problèmes sont ridicules à côté des leurs. Pas de quoi m'apitoyer sur mon sort. Je préfère aller de l'avant.

Je suis fascinée de voir à quel point Maude est capable de mettre ses propres problèmes de côté pour se concentrer sur ses objectifs. Je ne suis pas certaine d'être capable d'en faire autant.

Voyant ma triste mine, Maude me brasse gentiment le genou.

— Toi, ça n'a pas l'air d'aller fort ! Le déjeuner ne t'a pas plu ?

Je souris. J'avoue que l'état de mon père déteint un peu sur le mien. Jusque-là, ma mère était un idéal que j'espérais retrouver. Je n'avais rien à lui reprocher. Aujourd'hui, j'ai des doutes. Et si ma mère n'avait pas fui notre famille seulement pour monter son projet, mais bien pour être un peu plus avec cet Edmund Wahlberg ?

— Le déjeuner était parfait. Ça n'a rien à voir.

— Alors ?

— C'est ma mère… Je ne sais plus trop si c'est une bonne chose d'aller la retrouver.

— Lucie, on ne peut pas laisser Atmospheric Energies agir comme ils risquent de le faire ! D'après Simon, avec le projet de ta mère, cette société pourrait avoir le monopole de l'énergie mondiale en un rien de temps, tu imagines les conséquences ? Ta mère est peut-être la seule à pouvoir arrêter ça !

— Je sais. De ce point de vue-là, il faut faire ce que nous avons décidé, même si parfois j'ai l'impression d'être David contre Goliath. Mais ma mère, pour moi, c'était une héroïne. Elle avait tout sacrifié pour mettre la touche finale à son projet et pour tenter de nous protéger. Je n'étais même pas vraiment fâchée qu'elle ait simulé sa disparition et qu'elle soit absente si longtemps. Il me semblait que la cause en valait la peine.

— Mais son image s'est un peu ternie depuis que vous savez qu'elle est partie avec Kynn… enfin, je veux dire, avec Wahlberg, n'est-ce pas ?

J'acquiesce.

— Tu comprends, si c'est ça la vraie raison de son départ, je crains que nos retrouvailles ne se passent pas si bien.

— Tu sais, avant que je sois mutée au JTF2 où j'ai rencontré ta tante Arlène, quand je travaillais sur le terrain en tant que démineuse, j'ai été la cible de tout un tas de ragots. Mes collègues ne savaient pas trop qui j'étais, ce que j'étais venue faire là, dans ce milieu d'hommes, et blablabla. Même des gars avec qui j'avais de bons contacts ont commencé à s'éloigner de moi. Tout ça à cause de bobards sortis de nulle part. Personne n'a pensé à venir me demander ce qu'il en était vraiment. C'est étonnant comme on se contente vite d'une seule version des faits.

— N'empêche que c'est étrange que ce soit justement avec ce type qu'elle ait décidé de partir, non ?

— Pourquoi ? Ta mère ne pouvait pas partir seule ! Elle devait forcément s'adjoindre d'autres spécialistes pour une telle aventure. Wahlberg est un de ceux-là, mais il y en a forcément plusieurs. Ta mère a dû s'entourer des meilleurs scientifiques qu'elle connaissait dans le domaine.

Je hausse les épaules, peu convaincue.

— Je suppose…

— Tu devrais attendre de lui parler avant de t'inventer trop d'histoires.

Je reste silencieuse, incapable de faire la part des choses. J'ai l'impression qu'il me manque encore des éléments.

Je profite du long trajet pour emprunter le dossier de David sur Edmund Wahlberg. Je le passe au peigne fin et entoure tous les numéros en rapport avec lui qui pourraient avoir servi de mot de passe. Mon ordinateur sur les genoux, j'essaye tout ce qui me semble possible. Numéro d'assurance sociale, téléphone, compte en banque, date d'anniversaire, numéro de maison… Il est facile de trouver les mots de passe de beaucoup de gens, ils sont presque toujours en rapport avec leur vie. Wahlberg déroge à cette règle. Impossible de trouver l'association de lettres et de symboles qui ouvre le dossier.

Maude me montre une halte routière.

— Je vais faire une pause pour que Simon puisse télé-phoner.

Maude et Simon descendent.

David quitte la banquette arrière pour se dégourdir les jambes et vient ouvrir ma portière.

— Alors, comment ça va ?

— Quand t'es près de moi, ça va toujours mieux !

Je me blottis dans ses bras.

— Tu n'as pas l'air d'avoir dormi beaucoup cette nuit, dis-je en voyant ses traits fatigués.

— Rien de grave, c'est juste la fourgonnette qui n'était pas super confortable.

— Tu as parlé à mon père pendant le trajet ? dis-je, inquiète.

— Pas beaucoup. Il est pas mal maussade. Je ne sais pas quoi lui dire.

— Je peux le comprendre. Je commence à penser qu'il avait accepté cette évasion de ma mère en espérant un mieux pour leurs retrouvailles. Ça ne s'annonce pas comme prévu.

— N'empêche que vous semblez tous oublier un détail. Wahlberg ne travaille plus pour ta mère, il lui a fait faux bond. Personne ne se demande pourquoi. Ça n'a probablement jamais fonctionné entre eux comme vous l'imaginez.

— En tout cas, Wahlberg n'a pas l'air très rancunier. Si la relation qu'il espérait avoir avec ma mère n'a pas marché et, qu'à cause de ça, il s'est décidé à collaborer avec Atmo-spheric, il n'a pas pour autant divulgué l'emplacement du projet de ma mère.

— J'admets que c'est étonnant...

Maude arrive à notre hauteur d'un air réprobateur.

— Lucie, arrête donc de te raconter des histoires, il te manque des données.

Je sais qu'elle a raison… mais j'ai tellement besoin de savoir.

David regagne son siège au moment où Simon quitte la cabine téléphonique et nous rejoint, un journal sous le bras.

Il a la mine plus basse que jamais.

— Un problème, Simon ? Votre recherchiste n'était pas là ?

— Elle était là.

— Et alors ?

— Je suis viré, Lucie. Ils m'ont congédié. Fini la retraite, les congés payés, les assurances privées.

Oh non ! Je ne m'attendais pas à cette nouvelle. J'ai beau avoir des doutes sur les méthodes de Simon, je ne souhaitais pas pour autant que notre histoire le place en si mauvaise posture. Pourquoi est-ce que tout va si mal pour le moment ?

— Comment justifient-ils le renvoi ? demande Maude, aussi désappointée que moi.

— Absences répétées, travail inapproprié, refus de s'adapter aux nouvelles normes de travail et ainsi de suite.

— Je suis tellement désolée, Simon, dis-je, sincèrement déçue pour le journaliste. Vous n'auriez jamais dû être impliqué dans toute cette histoire.

— Ça devait arriver tôt ou tard, Lucie. L'histoire que nous avons en commun est loin d'en être la seule cause. Le milieu de la presse est en plein bouleversement depuis l'arrivée massive d'Internet dans les foyers. Les gens préfèrent de plus en plus s'informer quand ils en ont le temps via le Net. Les journaux télévisés, la presse écrite… tout ce milieu est en train de s'effondrer. Les gens qui, comme moi, sont réfractaires aux nouvelles technologies et qui prennent des mois pour boucler un reportage afin d'être sûrs de ce qu'ils avancent, n'ont plus leur place face aux nouveaux médias où l'information-spectacle prime.

— Encore et toujours, la rumeur plutôt que l'histoire réelle… soupire Maude.

— Bien sûr, elle prime ! Les ouï-dire, les informations de pacotille circulent à une vitesse folle sur Internet. Elles remplissent les sites d'information avant même d'être confirmées. C'est la course au scoop. Peu importe si l'information est juste ou pas, on corrigera plus tard ! Ce n'est plus du journalisme, c'est une course pour avoir l'information la plus spectaculaire avant tout le monde afin d'obtenir la faveur des annonceurs !

— Mais Radio-Canada est un service public, non ? La chaîne ne dépend pas des annonceurs ! commente Maude.

— Non, et c'est ce qui lui permet de survivre. Il n'en reste pas moins que les méthodes de travail ont changé radicalement depuis plusieurs années. On ne peut pas ignorer les développements technologiques et rester à la traîne derrière les chaînes concurrentes. Il a fallu s'adapter pour garder un taux d'écoute stable face à l'affluence des nouveaux médias. Or je ne suis pas fait pour ce genre d'adaptation. Je suis un élément facile à éliminer, conclut Simon en allant se rasseoir, la mine basse.

Maude change délibérément de sujet en reprenant sa place au volant.

— On devrait arriver à Québec d'ici une petite heure. Comment allons-nous procéder pour interroger les parents Wahlberg ? Quelqu'un a une idée ?

Pas de réponse. C'est vrai qu'à première vue, les Wahlberg n'ont pas de raison de nous dévoiler leur histoire. Il va falloir trouver une idée.

— On ne m'a pas encore retiré ma carte de journaliste, fait remarquer Simon. Je peux prétendre faire un reportage sur les familles de disparus. Ils me laisseront bien leur poser quelques questions.

— Je veux vous accompagner, dis-je à Simon. Déguisée, je peux très bien passer pour une stagiaire. On est mieux d'être deux si on ne veut pas que des détails nous échappent.

Je m'attendais à des remontrances de mon père, mais non, il ne dit rien. Ça m'étonne. Il a l'air ailleurs.

— C'est entendu, Lucie, accepte Simon, vous serez ma stagiaire.

— Je viens, moi aussi, fait la voix de mon père derrière nous.

— Papa ?

— Vous me ferez passer pour qui vous voulez, mais j'ai besoin d'en savoir plus sur ce type. D'abord, il part avec ma femme, après il me tire dessus, c'est à mon tour de jouer. Je veux lui rendre la monnaie de sa pièce.

Chapitre 4

Nous sommes arrivés dans la capitale nationale. J'ai rejoint la banquette arrière, où mon père, armé de ses mallettes de maquillage que j'ai récupérées à notre domicile, met une dernière touche à mon déguisement. Pendant qu'il s'affaire, j'en profite pour jeter un œil au décor. Je ne suis venue à Québec qu'à quelques reprises seulement dans ma vie.

— Arrête donc de bouger, Lucie ! Comment veux-tu que je te mette des faux-cils si tu tournes tout le temps la tête ?

Mon père n'est pas de bonne humeur, c'est évident.

— Tu sais, on se fait peut-être des idées sur maman et cet homme… Ça ne s'est peut-être pas tout à fait passé comme on le pense.

— Elle aurait pu me le dire qu'elle partait avec ce type, tu ne trouves pas ?

— Et tu l'aurais laissée partir si elle t'en avait parlé ?

Pas de réponse. Je change de sujet.

— Simon a perdu sa job.

— Je sais, je ne suis pas sourd.

— Hou là là, tu n'es pas commode, toi, aujourd'hui !

Mon père achève de me triturer le visage. J'ai un peu plus l'allure d'une stagiaire que d'une écolière, à présent.

Notre véhicule s'arrête quinze minutes plus tard dans un quartier résidentiel de Sainte-Foy. Nous arrivons à l'heure où tout le monde part travailler. Rien de bien original ici, un quartier comme il y en a des centaines. Il n'est pas sans me rappeler la banlieue où habitait la mère de Kevin Black, un gars de ma classe que je n'ai plus trop envie de revoir.

Maude fait un petit tour pour être certaine que tout est tranquille, puis stationne le véhicule devant la maison.

Simon, mon père et moi descendons. Simon emporte avec lui, dans un sac en papier, plusieurs pâtisseries que nous n'avons pas pu engloutir.

— Qu'est-ce que vous allez faire avec ça ? dis-je, intriguée.

— Il est toujours plus facile de soutirer de l'information aux gens en leur remplissant l'estomac !

Je ne vois pas trop où le journaliste veut en venir, mais bon…

Simon frappe à la porte du bungalow. Il doit s'y prendre à deux fois avant qu'on vienne nous ouvrir.

Une dame d'un certain âge apparaît enfin, en peignoir, les cheveux hirsutes.

— C'est pour quoi ? demande-t-elle d'une voix endormie.

Simon entame immédiatement son baratin. Il sort sa carte de presse et la tend à la dame.

— Bonjour madame, désolé de vous déranger de si bonne heure. Je me nomme Simon Kragaris, je suis journaliste à Radio-Canada. Je fais un reportage pour le journal du soir sur les familles de disparus. Mon recherchiste, ici présent, précise Simon en pointant mon père, a découvert que vous aviez perdu votre fils il y a un peu plus de trois ans dans un accident. Nous aimerions vous interroger sur les circonstances du drame et la manière dont vous avez vécu la disparition...

— Écoutez, je n'ai pas vraiment le temps, ça ne m'intéresse pas, je suis désolée...

— Ça ne prendra que cinq minutes. Nous avons apporté le déjeuner pour nous faire pardonner cette intrusion, ajoute-t-il en tendant le sac de pâtisseries. Pas de toasts à beurrer, ça devrait vous faire gagner quelques minutes, non ?

La dame ose un petit sourire.

— Bon, entrez.

À l'intérieur, rien de bien extravagant. Une maison de quartier ordinaire, à la différence que les murs de celle-ci sont littéralement tapissés de photos. Edmund Wahlberg figure sur une quantité impressionnante de photographies.

Sa mère vient se poster près de moi alors que je suis en train de regarder le visage de cet homme que j'ai en horreur.

— Il était beau, n'est-ce pas, mon Edmund ?

La question me prend par surprise.

— Je... euh... oui... physiquement, vous voulez dire ?

51

La dame a l'air désemparée par ma réponse. Simon me sort de mon mauvais pas.

— Je vous présente Lucie, une de nos stagiaires.

La dame me salue alors que son mari apparaît, une tasse de café à la main. Sa femme s'empresse d'expliquer notre présence. Ça ne lui fait ni chaud ni froid. Il va s'asseoir à la table de la cuisine.

La mère d'Edmund nous invite à la suivre dans la pièce. Même topo pour les murs. Son conjoint est en train de boire son café en regardant la télé installée sur le comptoir. Profil type des conjoints qui ne se parlent pas souvent !

Simon commence à questionner la dame sur la disparition de son fils.

— Il devait partir pour cette croisière avec des amis… des collègues de travail, je crois, répond-elle. Il avait affrété un petit brise-glace de croisière au port de Québec pour leur expédition. Je ne sais pas trop s'il allait là pour le travail ou pour se payer du bon temps.

— Bah, c'était pour le travail, voyons ! marmonne l'homme en ne quittant pas l'écran des yeux. Edmund ne prenait jamais de vacances. C'était pas le genre à passer du temps entre amis ou avec une blonde. Il voulait rester libre de se consacrer à sa job. Il avait une sorte de dicton pour ça, quelque chose du genre : *un cœur solitaire est toujours plus efficace qu'un cœur brisé* ! Je ne sais plus trop…

— C'est un dicton qu'il appliquait aux autres ? interroge mon père, imprudent.

— Pardon ? s'étonne l'homme.

— Parlez-moi de cette croisière, poursuit Simon, en tentant d'effacer la bourde de son pseudo-recherchiste.

— Ce n'était pas la première fois qu'il partait sur ce bateau, il en connaissait bien le capitaine, précise la dame.

— C'est sûr, il finissait toujours par l'attirer dans ses niaiseries, celui-là.

— Vous le connaissiez ?

— Pas personnellement, mais je dois avoir une photo quelque part…

La dame se lève et quitte la pièce. Son mari ne dit pas un mot. Simon tente une percée.

— Comment vous êtes-vous senti après la disparition de votre fils ? Avez-vous suivi les recherches de près ?

— Les recherches ? Les recherches n'ont pas été bien longues, mon cher monsieur. Là où ils étaient rendus… probablement la pire place pour avoir un problème de bateau… si vous coulez, vos chances de survie sont presque nulles. Vous connaissez l'histoire du Titanic, je suppose ?

— Mais ils n'ont pas simplement coulé, dis-je à mon tour.

— Le bateau aurait explosé, c'est encore pire !

L'homme reste un instant silencieux, le regard dans le vide.

— J'ai tiré un trait sur cette histoire dès que les recherches ont été terminées. Je n'aurais rien pu faire de plus. J'ai dû me faire à l'idée qu'on ne retrouverait jamais les corps.

La dame revient avec plusieurs photos encadrées d'Edmund et d'une autre personne. Sur la première, les deux personnages sont plantés devant un bateau ; sur une autre, ils sont sur la banquise avec des fusils de chasse.

J'examine les images, intriguée. Wahlberg est décidément un habitué des armes à feu.

— Il pratiquait la chasse ?

— Hou là là, non ! Il travaillait à l'occasion avec ce monsieur pour une association qui aidait les animaux blessés ou en perdition dans l'Arctique. C'est avec lui qu'il a appris à se servir du fusil, mais c'était juste pour endormir les bêtes.

— Pouvez-vous me donner son nom ? s'informe Simon.

— Gilles… Gilles…

— Seger. Gilles Seger, précise l'homme. Un drôle de type qui s'embarquait toujours dans des entreprises douteuses, d'après ce que j'ai pu comprendre. La dernière, c'était ce brise-glace de croisière pour faire découvrir l'Arctique à des personnes fortunées. Ça n'a pas marché beaucoup. En quoi ça vous intéresse ?

— Ce monsieur Seger, il a disparu, il doit avoir une famille, mentionne Simon, sur la défensive. Cela peut nous intéresser pour le reportage.

— Vous travaillez pour qui, déjà ?

— Radio-Canada.

— Et le reportage, il passera à la télé ?

— Non, c'est pour la radio. Je ne connais pas encore l'heure de diffusion de l'émission.

— Excusez-moi, intervient mon père. Comme, au cours de l'émission, nous relatons la vie des disparus, auriez-vous par hasard gardé des effets personnels de votre fils ?

— Je pensais qu'il s'agissait juste d'une interview ! s'étonne la femme.

54

— Oui, effectivement, déclare Simon. Nous cherchons juste à avoir entre les mains un maximum d'informations pour ne pas commettre d'impairs à propos des disparus… Comprenez que c'est très délicat comme reportage pour les familles.

— Il reste de petites choses dans sa chambre, mais on en a donné pas mal. C'était trop dur de garder tout ça ici. On ne voulait pas faire un musée. Vous pouvez aller jeter un œil si vous voulez, je vais vous accompagner.

Nous nous levons. Seul le mari reste désespérément rivé à la table de cuisine.

— Au fait, c'est pour la radio, non ? Alors où sont vos micros ?

Décidément, ce monsieur, qui me semble plus absorbé par la télévision que par notre présence, est particulièrement attentif.

Une chance, Simon récupère la situation en un tour de main.

— Ce n'est qu'un repérage pour le moment. Nous voulons sélectionner les familles les plus « porteuses » et qui ont le plus de renseignements à fournir avant de faire le vrai reportage. Vous auriez très bien pu ne pas accepter de nous rencontrer et dans ce cas, j'aurais fait déplacer une équipe technique pour rien.

L'homme hoche la tête.

— Vous permettez que j'en garde une ou deux ? demande mon père en montrant les photos à la mère d'Edmund. C'est pour mes dossiers. Je vous les rendrai dès que j'en aurai terminé.

La dame accepte d'un hochement de tête et nous fait signe de la suivre.

Nous grimpons les marches qui mènent à l'étage. La mère d'Edmund ouvre la porte d'une chambre à moitié vide.

Il reste quelques meubles sur lesquels trônent, encore, des photos. Plusieurs boîtes de carton jonchent le sol.

— Vous permettez ? demande Simon en montrant les cartons à la dame.

— Allez-y, fouillez, je ne crois pas que vous trouverez grand-chose d'intéressant.

Pour ma part, je fais un tour du propriétaire. J'observe les affiches qui tapissent les murs. Peter Gabriel, Genesis, Yes… de vieux groupes de rock progressif qu'écoutait mon père à une certaine époque.

— Aviez-vous une idée de l'itinéraire que devait suivre le bateau ? demande mon père en farfouillant dans une pile de vieux CD.

— Vous savez, mon fils a souvent voyagé en bateau, je ne lui demandais pas systématiquement où il allait. Je sais qu'il devait monter dans le Nord, vers la baie de Baffin. Ce n'était pas la première fois qu'il allait dans ce coin-là.

— Je vois…

— Sur quoi portaient ses recherches ? demande Simon.

La dame a l'air intriguée.

— Je ne vous ai pas dit qu'il était chercheur.

Simon esquisse un petit sourire.

— J'ai un recherchiste extraordinaire, madame. Je ne m'en sépare jamais.

Ouf ! Simon est décidément très à l'aise dans son rôle de journaliste. Il esquive toutes les bourdes.

— Sincèrement, j'aurais bien de la misère à vous parler de son travail. Mon mari pourrait vous en dire plus... Ça a rapport à de l'électricité entre la Terre et l'atmosphère... Quelque chose comme ça.

Je continue de prospecter les photos encadrées et les images collées au mur quand l'une d'elles me fige littéralement sur place. J'attrape le cadre pour être sûre d'avoir bien vu.

— Qu'est-ce que...

Les mots ne sortent pas de ma bouche. La mère d'Edmund s'approche de moi.

— Oh, c'est sa blonde ! Enfin, il la fréquentait un peu avant sa disparition... C'est bête, j'aurais dû vous le mentionner avant. L'information peut vous intéresser. Cette femme était d'ailleurs sur le bateau. Elle aussi est portée disparue. Une bien triste histoire...

Mon père s'approche pour vérifier ce que je viens de découvrir.

— Mais votre mari vient de dire qu'il n'avait pas de compagne ! dis-je en plaquant le cadre sur ma poitrine pour que mon père ne le voie pas.

— Oh, vous savez, même s'il n'y a rien d'officiel, il y a peu de choses qui échappent à l'œil avisé d'une mère. Mon fils aimait bien cette jeune femme, il m'en parlait fréquemment.

Mon père me prend délicatement le cadre des mains. Nous fixons l'image encadrée. Je suis outrée par ce que je viens d'entendre et franchement inquiète à voir la tête de mon père changer de couleur.

Dans un bâtiment quelconque, Kynn prend la pose, bras dessus, bras dessous avec une jeune femme d'une trentaine d'années. Les deux ont un sourire complice et se tiennent serrés l'un contre l'autre. Il se trouve que la jeune femme, c'est ma mère.

▲ ▼ ▲

J'essaye, comme je peux, de contenir l'énervement de mon père en lui demandant tout bas de ne pas exploser ici.

Nous retournons en bas. Les recherches n'ont pas été très fructueuses. Il faudrait en savoir plus sur le travail de ce Wahlberg. Le père d'Edmund peut peut-être nous aider.

Dans la cuisine, l'homme est debout, les bras croisés. Il nous attend l'air impatient et de mauvaise humeur.

— Qu'est-ce que vous êtes venus chercher, exactement ?

Nous ne comprenons pas son attitude. Il n'a plus l'air coopératif du tout.

Simon hausse les épaules.

— Nous vous l'avons dit, nous faisons un reportage sur…

— Vous avez été viré de Radio-Canada il y a plusieurs jours. C'est ce qu'ils viennent de dire à la télé. Ne me racontez pas n'importe quoi.

Au même instant, je remarque que le journal télévisé diffuse en boucle les images prises par la caméra de surveillance d'Énertech. Pas de doute, les images sont d'une excellente qualité. On nous distingue clairement, Simon et moi, en train de farfouiller dans le bureau avec la mention sous l'écran « Recherchés ».

Je suis déguisée, mais Simon ne l'est pas. Les propriétaires l'ont reconnu immédiatement.

— Vous allez nous dire ce que vous êtes venus faire ici ou j'appelle la police, insiste l'homme.

— C'est plus compliqué que vous ne le pensez, baragouine Simon en nous tirant discrètement vers la sortie. Votre fils est lié à la disparition d'autres personnes… C'est un malentendu.

— Qui sont ces gens? demande la femme, prise de panique en voyant nos photos à la télé.

— Je ne peux pas tout vous expliquer…

— Vous nous racontez des niaiseries depuis que vous êtes arrivés…

J'essaye d'intervenir.

— Écoutez, ça ne se limite pas simplement à une disparition…

— Vous, vous feriez bien de retoucher vos faux-cils si vous ne voulez pas qu'on vous reconnaisse, raille l'homme. Linda, appelle la police ! Ces gens ne m'inspirent pas confiance du tout.

— Exactement ce que j'ai pensé de votre fils la première fois que je l'ai vu ! explose mon père.

Hou là là, les choses vont décidément plus mal que prévu.

— Quoi ? baragouine l'homme. Vous connaissez mon fils ?

— Mieux que vous, apparemment, car si vous passiez un peu moins de temps rivé à votre écran, vous auriez sans doute compris certaines choses…

— De quoi parlez-vous ? fait la dame, apparemment perdue.

— Les intentions de votre fils en faisant cette croisière n'avaient rien de scientifique, il voulait passer du bon temps avec sa blonde, loin des regards ! Voilà tout !

— Qu'est-ce qui vous permet de dire des choses pareilles ? Mon fils était un scientifique brillant…

— Sa blonde, comme vous l'appelez, c'était ma femme !

Je tire mon père par la manche. Direction : la sortie… de toute urgence !

▲ ▼ ▲

Nous sommes sur le pas de la porte. Pas question de rester ici une minute de plus. Notre petit groupe retourne au véhicule à toute vitesse, sauf mon père qui reste à la traîne. Pas la peine d'essayer d'expliquer notre cas à cet homme. Derrière son masque d'imperturbable spectateur de télé, je crois qu'il y a un père qui ne supporte pas qu'on touche à la mémoire de son fils.

— Et en passant, surenchérit mon père, malgré ce qu'il vous a fait croire, votre fils n'est pas mort, il m'a tiré dessus la semaine passée. Si vous voulez le revoir vivant, j'espère que vous le croiserez avant moi !

Nous voyant rappliquer aussi vite, Maude comprend que quelque chose ne tourne pas rond. D'autant que la dame qui nous a accueillis sort de la maison le téléphone à l'oreille et un bloc-notes à la main.

Maude démarre et donne un coup de klaxon pour faire revenir mon père.

— Dépêche, bon Dieu, elle va avoir le temps de noter le numéro de plaque…

Je ressors précipitamment, passe à côté de la dame et fait virevolter son carnet de notes à quelques mètres de là. J'attrape mon père et le tire violemment pour le faire monter dans le véhicule alors qu'il vocifère toujours des niaiseries à la tête du père d'Edmund.

Une fois tout le monde dans la voiture, Maude débarrasse les lieux rapidement. Je crois que la dame a eu le temps de retrouver son carnet.

— Fonce ! dis-je, énervée.

David se retourne et regarde les deux personnes restées à l'entrée de leur maison. La dame a toujours le combiné du téléphone à l'oreille.

— La police est sans doute déjà au courant que nous ne sommes plus à Montréal mais à Québec…

— Bon Dieu, Sidney, qu'est-ce que tu foutais? fulmine Maude. C'était pas la peine de s'éterniser.

— Désolé, mais cette photo…

— Qu'est-ce qui s'est passé, au juste ? demande David.

Pas besoin de grandes explications pour lui faire comprendre la situation. J'allume la radio.

— … cette nouvelle selon laquelle notre ex-confrère Simon Kragaris aurait, cette nuit, pénétré par effraction dans les bureaux d'une entreprise nommée Énertech. Comme le montrent les clichés pris par la caméra de surveillance, l'individu est accompagné d'une adolescente. Celle-ci a été identifiée comme étant Lucie Lafortune, dont on avait perdu la trace depuis plusieurs jours. Ces deux personnes auraient également été aperçues plusieurs jours auparavant par le service de sécurité de l'aéroport Pierre-Elliott-Trudeau. Selon un communiqué de presse de la société Énertech, aucun document n'aurait été dérobé. Nous rappelons que Lucie Lafortune et son père hébergeaient Arlène Turpin. Tous les individus que nous venons de citer ont disparu et pourraient être d'une manière ou d'une autre liés au vol du Casino de Montréal, qui a eu lieu la nuit du réveillon de Noël. Toute information à leur sujet doit être communiquée à la GRC le plus rapidement possible. Vous pouvez également consulter notre site Web pour obtenir les photos des individus.

Retrouvons à présent notre collaborateur Jean St-Germain en direct du centre-ville, où les préparatifs du Red Bull Crashed Ice, la célèbre descente de ville en patins à glace, vont bon train…

— Les médias n'ont pas perdu de temps ! dis-je en tentant de me calmer.

— Quand je vous parlais de course au scoop… insinue Simon. Et puis tiens, j'en ai un autre pour vous, ajoute-t-il en me tendant le journal qu'il a acheté ce matin à la station-service de la halte routière. Le projet de loi, il sera dévoilé au parlement de Québec. Je vous laisse deviner sur quelle région de notre belle province PREOS va s'acharner…

Chapitre 5

Nous avons quitté Sainte-Foy. Nous nous dirigeons vers le centre-ville. Maude, qui tient toujours le volant, ne sait pas quelle direction prendre.

— On fait quoi, maintenant ? Quelqu'un a une idée ?

Simon et David discutent en regardant les photos que nous avons empruntées chez les Wahlberg.

— On devrait aller faire un tour jusqu'à la marina. Un brise-glace de croisière, ça ne passe pas inaperçu dans un port de plaisance. Il doit bien y avoir quelqu'un qui se souvient de ce bateau, suggère mon ami. Il reste peut-être des traces de ce voyage là-bas.

Je me tourne vers Simon.

— C'est votre opinion aussi ? Vous abandonnez l'énigme ?

— Je n'abandonne rien du tout, mais je sais admettre quand je tourne en rond sur un sujet. Pour le moment, de toute manière, nous n'avons pas le mot de passe, raisonne Simon, et le bout de phrase que j'ai est insuffisant. Nous ne pouvons pas nous en tenir à cette piste-là.

Je suis surprise par cette faculté qu'a Simon de se remettre en question. Je me suis peut-être forgé une idée un peu trop rapide sur sa façon de faire.

— Au fait, Simon, même si mon père s'est particulièrement bien débrouillé pour faire rater la rencontre, j'ai trouvé que vous aviez super bien mené l'interview tout à l'heure. Sans vous, ils nous auraient jetés dehors beaucoup plus vite. Merci.

— Pas de quoi, marmonne-t-il en se replongeant une nouvelle fois dans le dossier du projet Tesla, qu'il traîne toujours avec lui.

Quinze minutes plus tard, nous laissons la voiture dans le stationnement près du port de plaisance. Mon père, qui ne se sépare pas de ses mallettes de maquillage, a modifié quelque peu l'apparence de Simon… pour ne pas tenter le diable, comme il dit.

À cette époque de l'année, il n'y a plus de bateaux dans le port, tout est pris dans la glace. On dirait que l'endroit est déserté depuis des années. L'horizon est bouché par les énormes silos à grain qui longent le port. Tout est gris et blanc. Il n'y a pas âme qui vive. Le seul endroit qui semble animé est un petit restaurant coincé entre les silos et le débarcadère à bateaux. C'est là que nous allons nous attarder.

Je m'attendais un peu à un de ces vieux bars de marins comme on en voit dans les films : poussiéreux et rempli d'ivrognes beuglant des chansons « à boire ». Ce n'est pas le cas. C'est un resto actuel, bien tenu et chaleureux, situé à l'étage d'un bâtiment moderne. On nous invite poliment à prendre place.

David consulte les photos que nous avons empruntées aux Wahlberg tout en faisant le tour du restaurant et en regardant par les fenêtres panoramiques. Il revient vers nous.

— Les photos ont bien été prises ici. Le bateau devait être amarré de l'autre côté des silos, affirme-t-il en s'assoyant.

Quand une serveuse vient prendre notre commande, David lui demande s'il est possible de parler au patron de l'établissement. Elle prend d'abord un air outré, comme si nous allions nous plaindre de son service, mais elle se ravise dès que David lui confie que nous aimerions en savoir plus sur le bateau qui figure sur nos photos.

L'homme arrive presque aussitôt. Grand et corpulent, il a l'air d'un bon vivant. Il jette un œil aux clichés et fait une drôle de moue.

— Le brise-glace ? Hum, peux pas vous dire grand-chose là-dessus. L'entreprise n'a pas très bien marché. Baptiste, par contre, lui, il connaissait le capitaine, signale le patron en nous montrant un homme accoudé au comptoir. Attendez, je vous l'appelle.

L'homme qui s'approche de nous me rappelle Popeye le marin : la musculature, les tatouages, le visage marqué par le temps. Il ne manque que le petit bonnet blanc et la pipe.

— Je peux vous aider ? demande-t-il poliment.

— On cherche à savoir ce qui s'est passé avec ce bateau. Il a disparu il y a quelques années.

Baptiste déploie un large sourire.

— Disparu, ouais… sans laisser de traces… comme par hasard !

— Pourquoi ça vous fait sourire ? dis-je, étonnée.

— Vous êtes comme moi, n'est-ce pas ? Il vous doit pas mal d'argent, avouez ?

Je ne comprends pas bien de quoi il parle. C'est pareil pour les autres sauf Simon qui, une fois de plus, fait preuve de flair et attrape la corde que lui tend notre interlocuteur.

— On ne peut rien vous cacher. Disons que c'est assez personnel.

— Alors vous aussi, il vous a demandé de participer à la soi-disant aventure de son brise-glace en injectant des fonds dans son entreprise ! Me disais bien que je ne devais pas être le seul à s'être fait berner par ce type !

— Seger nous doit pas mal d'argent, on veut le retrouver, dévoile Simon.

Je suis surprise de voir à quelle vitesse Simon parvient à mettre cet homme dans sa poche en utilisant toutes les données que nous connaissons.

— Et vous croyez que je n'ai pas essayé ? J'ai des créances à rembourser, moi aussi. L'argent que me doit ce type viendrait bien à point. Je soupçonne que Seger devait de l'argent à pas mal de monde, insiste l'homme. Disparaître était pour lui la meilleure chose à faire quand son entreprise de brise-glace touristique a été sur le point de faire faillite.

— Peut-être qu'en réunissant nos informations… laisse planer le journaliste.

Baptiste ne réfléchit pas longtemps.

— Venez avec moi.

Le marin fait signe à la serveuse de mettre nos consommations sur son compte et nous fait descendre par un escalier de service à l'étage inférieur.

Nous entrons dans un petit local qui pourrait ressembler au bureau d'une agence de voyages. Il y a des cartes sur les murs, des affiches d'îles paradisiaques et d'autres du golfe du Saint-Laurent. Hormis un désordre encombrant constitué de piles de dossiers, de magazines de bateaux et de pêche, de cordages, gilets de sauvetage et autres sortes d'outils exotiques probablement utiles en navigation, l'endroit est plutôt agréable.

— Asseyez-vous où vous pouvez, suggère Baptiste en rigolant. Je loue ce petit local au proprio. Ce n'est pas bien grand, mais c'est mieux que la cabine d'un bateau.

Le navigateur fouille dans une armoire à classeurs et en sort quelques dossiers qu'il étale sur une table déjà passablement chargée.

— Qu'est-ce que vous savez au juste ? s'informe-t-il.

— Pour ce qui est du naufrage, ça se limite pas mal à ce qu'a dit la presse. Nous nous sommes surtout interrogés sur les passagers. Si vous pensez comme nous que le bateau n'a jamais eu d'accident, vous admettrez que les passagers ont forcément dû échouer quelque part. On se disait qu'en les trouvant, on découvrirait peut-être la trace du bateau, expose Simon.

Baptiste reste un moment dubitatif. Il fronce les sourcils.

— Mouais, j'avoue que je n'y avais pas pensé. Et qu'ont donné vos recherches ?

— Nous sommes à peu près certains qu'ils sont quelque part dans l'Arctique, probablement sur le territoire canadien.

— Vous croyez qu'ils sont toujours là-bas ? Après trois ans ?

— Je sais que ça peut paraître étonnant, mais c'est l'hypothèse la plus probable.

Baptiste hausse les épaules.

— Si vous le dites ! Ça suppose qu'ils sont dans une région habitée.

Ça rejoint un peu mes hypothèses.

L'homme sort une grande carte sur laquelle figure une bonne partie du cercle polaire.

Baptiste montre un point dans la baie de Baffin.

— C'est là que le bateau a soi-disant explosé. Pile entre le Groenland et les côtes canadiennes. Paraît même que les garde-côtes ont retrouvé des débris… Pas étonnant, en fait !

— Vous n'y croyez pas ?

Baptiste éclate de rire.

— Foutaises, voyons ! C'est moi qui ai fait le plein du bateau avant le départ. Je connais ce type de navire et sa capacité de réservoir. Avec ce que je lui ai mis dans le ventre, il avait tout juste de quoi se rendre jusqu'à l'endroit que je vous ai montré sur la carte. Il a sans doute pu se rendre jusque-là, mais arrivé dans cette région, ce qui devait lui rester d'essence dans le réservoir n'aurait jamais suffi à pulvériser ainsi le bateau en miettes.

— Il a pu se ravitailler en chemin, non ?

— Il aurait pu, c'est vrai, mais il ne l'a pas fait. J'ai vérifié, vous pensez ! Aucun port sur sa route n'a eu la visite du brise-glace. Un tel bateau ne passe pas inaperçu. On dirait qu'il a voulu filer le plus loin possible sans qu'on le remarque.

— Il aurait pu contenir des explosifs, propose Maude.

L'homme sourit comme s'il ne prenait pas trop au sérieux la remarque de Maude.

— Ma p'tite madame, en plus de le ravitailler, j'ai aussi participé au chargement du navire. Je peux vous assurer que je n'ai rien vu qui ressemblait à des explosifs ou même à des matériaux inflammables. Ce genre de fret doit être particulièrement bien étiqueté pour le transport et satisfaire des normes de sécurité très strictes. Si j'avais eu le moindre doute sur ce qu'il transportait, j'aurais demandé à un des inspecteurs du port de venir faire un tour.

Je tente une question, au risque de passer pour une petite impertinente.

— Et qu'avez-vous chargé, au juste ?

— C'est intéressant, ça ! Dans les rares croisières qu'a organisées l'entreprise de Seger, on chargeait toujours des valises et des valises. Bref, juste les effets personnels de gens fortunés… ah ! et de la bouffe, bien sûr, pour une armée. Aussi, une fois, on a chargé des tables de jeu, comme pour un casino ! Vous savez, roulette, black-jack et ainsi de suite. Seger avait eu l'idée, pour amuser ses clients, de monter un casino à bord du bateau…

— Mais là ? dis-je à l'homme, qui s'égare dans ses propos.

— Que du matériel scientifique. Des boîtes et des boîtes, des câbles, des antennes… beaucoup d'antennes, des ordinateurs, et tout un tas de pièces dont j'ignore l'utilisation. De la nourriture aussi, évidemment, mais au final, je me suis demandé si les membres de l'équipage auraient encore de la place pour emporter leurs effets personnels. Le bateau était plein à craquer !

— Mais ce genre d'embarcation doit avoir une cale assez spacieuse, non ? interroge Simon.

— La cale était déjà pleine.

— Encore du matériel scientifique ?

Baptiste nous fait un large sourire charmeur.

— Des caisses en bois… plein de caisses en bois !

— Et alors ?

— Pendant le chargement, une des caisses est tombée. Vous ne devinerez jamais ce qui en est sorti !

Nous restons suspendus à ses lèvres.

— Des morceaux d'épaves calcinées !!! Plein de morceaux de vieux rafiot ! Je ne sais pas où Seger est allé chercher ça, mais il devait y en avoir un sacré paquet en voyant toutes les caisses que nous avons chargées.

— Comment Seger a-t-il justifié son fret ?

— Expérience scientifique, mon cher monsieur ! Des foutaises, oui ! Pas difficile de comprendre que pour faire croire à une explosion de bateau, il faut laisser des traces, des débris !

Eh bien, les débris, ils les ont embarqués avec eux, c'est pas plus compliqué que ça ! Je ne l'ai compris que bien plus tard, évidemment.

— Vous n'en avez pas parlé aux autorités ?

— Vous savez, moi et les autorités... J'ai déjà pas mal de problèmes à régler sur les bras, pas besoin d'en rajouter...

— Combien étaient-ils ? demande mon père.

— De mémoire... voyons... peut-être une dizaine... Le bateau pouvait en contenir plus, mais avec tout le matériel qu'ils emportaient, plusieurs cabines étaient condamnées pour le rangement des choses fragiles.

— Seger pilotait son bateau seul ? s'étonne Simon.

— Il avait toujours quelques membres d'équipage avec lui pour donner un coup de main, souvent des étudiants... sauf cette fois-là. Si je me souviens bien, il m'avait dit que les gens qu'il emmenait connaissaient la navigation et qu'ils allaient lui donner un coup de main.

J'interviens une nouvelle fois.

— Vous avez dit tout à l'heure que vous pensiez qu'il serait allé dans une zone habitée de l'Arctique...

— C'est ce qui me semble le plus probable, en effet.

Baptiste reprend sa carte.

— Voyez-vous, on perd leur trace ici, indique-t-il en remontant le point de la disparition. Rendu là, le brise-glace devait se ravitailler... à la rame, ça ne marche pas, ce genre de bateau.

Baptiste pouffe de rire puis reprend :

— Il n'y a donc que trois solutions. Deux au Groenland : Siorapaluk et Qaanaaq, et une au Canada : la communauté inuite de Grise Fiord. Si vous prétendez qu'ils sont probablement restés au Canada, je pencherais surtout pour cette dernière.

— Vous vous êtes renseigné de ce côté-là ? demande mon père.

— Avec les moyens du bord ! J'ai passé plusieurs coups de fil à cette communauté pour savoir s'ils savaient quelque chose. Ils n'étaient pas très loquaces. Il semble qu'ils n'aient rien vu, rien entendu !

Je me questionne sur un point :

— Vous n'êtes jamais allé là-bas ?

— Je loue des embarcations de plaisance pour naviguer sur le fleuve, pas des navires pour affronter l'Arctique, mademoiselle.

— Et si nous voulions nous rendre à Grise Fiord, à qui devrions-nous nous adresser ? dis-je naïvement.

Le marin pouffe de rire une nouvelle fois.

— En cette saison ? Essayez l'armée de l'air. Sinon, attendez l'été… Peut-être trouverez-vous une expédition qui monte vers le nord ou un bateau de ravitaillement…

La glace, évidemment, je n'y avais même pas pensé ! Toutes les voies navigables sont gelées actuellement dans le Grand Nord.

— Il faut pourtant que nous trouvions un moyen d'aller jusque-là, dis-je, désespérée.

Baptiste hausse les épaules.

— Désolé, ça dépasse mes compétences.

Je prends une mine désappointée pendant que Maude prend des notes sur un bout de papier.

— Une dernière chose, fait Simon en pointant Wahlberg sur la photo qu'il tend à Baptiste. L'homme, là, il est bien monté à bord ?

— En effet, il faisait partie de l'équipe.

— Il ne vous aurait pas laissé un mot, une enveloppe, ou quelque chose à remettre à une certaine Lucie ?

Baptiste, intrigué, regarde Simon sans trop comprendre la question.

— Euh… non. De quoi voulez-vous parler ?

— Rien, c'était juste au cas où…

Nous sommes tout à coup dérangés par une lumière bleutée qui flashe à l'intérieur du local. Cela provient de l'extérieur, par les fenêtres. Baptiste comprend plus vite que nous.

— Tabarnac, ils sont venus avec la police, cette fois-ci ! Maudits huissiers ! Ils ne me lâchent plus une seconde, ces temps-ci…

Maude se lève immédiatement, interpellée par les paroles du marin. David fonce vers la fenêtre d'où vient la lumière. Presque aussitôt, une autre se met à flasher par la fenêtre opposée.

— David, monte à l'étage, vérifie leur position par les fenêtres panoramiques du resto, ordonne Maude précipitamment. Les autres, planquez-vous.

Baptiste ne semble pas trop comprendre.

— Qu'est-ce que c'est que ce débarquement… Je m'attendais à un huissier, j'ai quelques créances en retard… mais ça, explose-t-il en montrant le déploiement de force qui se met en place dehors, c'est quoi, ça ?

— Ils ne sont pas là pour vous, Baptiste. C'est nous qu'ils cherchent.

— Mais… quoi… Qui êtes-vous ?

— Ça n'a pas d'importance qui on est, dis-je, paniquée. Moins vous en saurez, mieux ça vaudra, croyez-moi !

David revient de l'étage en déboulant l'escalier.

— La route qui donne sur l'écluse et qui mène à la vieille ville est bloquée. De même pour la route qui longe la marina par laquelle on est arrivés.

— La fourgonnette ? demande Maude.

— Encerclée. Je crois que c'est grâce à elle qu'ils nous ont retrouvés. Les parents Wahlberg ont dû avoir le temps de noter le numéro de plaque.

— On aurait dû partir plus vite, dis-je en regardant mon père sévèrement.

— J'ai déjà connu des situations plus réjouissantes, grommelle Maude.

Baptiste, malgré le fait qu'il ne sait pas du tout qui nous sommes, prend le parti de nous aider.

— Maudite police, toujours là pour tanner le monde ! peste-t-il. Suivez-moi, je peux vous sortir de là.

Nous emboîtons le pas au marin. Nous passons à travers la réserve et la chambre froide du restaurant pour atteindre

76

une porte qui débouche sur l'extérieur. Dès l'ouverture, un froid glacial s'engouffre dans tout le sous-sol.

— Les deux routes principales sont bloquées, d'après votre ami. Par contre, ils n'ont peut-être pas bloqué la route d'accès au stationnement à bateaux et au hangar : c'est une route privée réservée aux employés du port. Essayez par là, c'est tout droit puis à gauche. Vous déboucherez près de la gare.

— Y a-t-il un autre stationnement que celui où nous nous sommes garés ? demande David.

— Juste derrière la rangée de bateaux en cale sèche, là-bas...

Je ne comprends pas la question de mon ami.

— Pourquoi ça t'intéresse ?

David m'attrape par la main.

— Parce qu'on ne pourra pas récupérer la fourgonnette !

Alors que nous nous apprêtons à fuir, Maude s'adresse une dernière fois à Baptiste.

— Les traversiers, ils sont bien aux demi-heures ?

Baptiste consulte sa montre.

— Le prochain part à 11 h 45, dans seize minutes... Vous avez le temps.

— On fonce, lance David.

— Attendez ! ajoute Baptiste. Seger, si vous le retrouvez... vous ne m'oublierez pas, n'est-ce pas ? J'ai besoin de cet argent...

Maude acquiesce.

— On fera le nécessaire, ne vous inquiétez pas.

Pas difficile de comprendre que le navigateur nous a donné un coup de main en espérant que nous l'aidions à notre tour. Au fond, c'est de bonne guerre. J'espère seulement que nous pourrons faire quelque chose pour lui.

David me tire vers le petit stationnement qui est devant nous, les autres suivent. L'endroit est entouré de bateaux posés sur des supports pour l'hiver, ce qui nous couvre un peu.

— On cherche une voiture avec une portière ou un coffre qui ne soit pas verrouillé, expose rapidement David. Tout le monde s'y met !

Nous nous éparpillons dans le stationnement. Chacun d'entre nous vérifie les véhicules qu'il a à sa portée. C'est moi qui trouve la première.

— Ici ! dis-je aux autres, en ouvrant discrètement la portière d'une petite Volkswagen Golf.

— Tant qu'à y aller dans le compact, t'aurais pu trouver une Mini Austin, s'amuse Maude.

Je monte derrière, coincée entre mon père et Simon. David s'assied devant à côté de Maude, qui prend le volant.

En quelques manipulations rapides, David a sorti les fils de démarrage sous le volant et fait démarrer le moteur.

— Elle a l'avantage d'être facile à démarrer !

Maude appuie sur la pédale de l'accélérateur et fait vrombir le moteur.

— Croisez les doigts pour que la route ne soit pas bloquée, propose Maude.

Nous roulons au pas en sortant du stationnement pour ne pas attirer l'attention des policiers aux barrages routiers situés à quelques centaines de mètres de part et d'autre de la route que nous traversons. Nous poursuivons tout droit sur une petite route dégagée. Pour le moment, tout va bien.

— Depuis quand tu sais voler des voitures ? dis-je à David. Je croyais que tu avais juste été pickpocket.

— Ça n'a rien à voir avec mon passé de pickpocket. On apprend ça à l'école de police. Si nous devons arrêter des voleurs, faut tout de même savoir comment ils procèdent, non ?

La route sur laquelle nous avançons est plutôt calme. J'en profite pour balancer mon sac sur la lunette arrière, là où Simon vient de déposer la petite mallette qui contient le projet écrit de ma mère et que le journaliste ne lâche jamais.

— Pourquoi se diriger vers l'autre rive ? demande Simon à Maude.

— Pour plonger en pleine campagne. Les petites municipalités rurales n'ont habituellement pas de services de police propres, elles dépendent des grandes agglomérations. Comme ces villes sont souvent en manque d'effectifs, elles envoient rarement la police faire des rondes dans la campagne avoisinante.

— C'est sûr qu'ils ont toujours de quoi s'occuper, dans les grandes villes… peste David en nous montrant, juste devant nous, un barrage routier constitué de deux voitures de police.

Maude ralentit.

— D'après Baptiste, il n'y avait pas d'autre route, n'est-ce pas ?

— C'est ce qu'il a dit, confirme David.

La voiture roule trop lentement. Nous attirons l'attention.

— Maude, fais quelque chose ! dis-je, impatiente, ils nous regardent...

Le policier nous fait signe de nous approcher et de nous garer sur le bas-côté.

— On n'a qu'à s'arrêter, dis-je. Mon père, Simon et moi sommes maquillés, ils ne nous reconnaîtront pas.

— Lucie, argumente David, nous roulons dans une voiture volée, nous sommes exactement le nombre de gens qu'ils recherchent. Ils vont nous demander nos papiers. On fait quoi, à ce moment-là ?

Je ne sais pas quoi répondre.

Impassible, Maude s'arrête en plein milieu de la route à trois cents mètres du barrage.

Mon cœur bat à tout rompre.

— Maude, qu'est-ce que tu as l'intention de faire ?

— Attachez vos ceintures...

D'un coup de pédale, Maude fait crisser les pneus de la petite voiture et la fait reculer à fond de train. Pour la discrétion, on repassera.

Les policiers, alertés par la manœuvre, grimpent dans leur véhicule et se lancent vers nous. La route est débloquée.

Voyant qu'ils réagissent exactement comme elle le présageait, Maude donne un gros coup de frein et repasse la première vitesse.

Cette fois, nous fonçons directement sur les deux voitures qui arrivent face à nous.

Je crie de panique.

— Maude, arrête, on va les emboutir…

Maude ne bronche pas, elle garde sa trajectoire. Je l'entends murmurer.

— Tassez-vous, tassez-vous…

Nous sommes à moins de cinquante mètres des deux voitures… Trente mètres… Quinze mètres… Je ferme les yeux en me disant que je ne vais pas tarder à passer au travers du pare-brise.

Tout ce que j'entends c'est l'équivalent du bruit d'un gros vase qui se briserait en tombant sur le sol, suivi d'un crissement terrible.

J'ouvre les yeux. Nous sommes toujours vivants. Les deux rétroviseurs ont été pulvérisés et la vitre de David est brisée. Nous roulons toujours à vive allure dans la même direction. Les deux voitures de police nous ont esquivées au dernier moment.

Je regarde derrière nous. Ils sont en train de faire demi-tour et nous prennent en chasse.

— Nous n'en avons pas terminé avec ces deux-là, remarque Maude.

Nous passons à côté d'un croisement. Au loin, nous pouvons distinguer deux autres patrouilles qui arrivent vers nous.

— On ne sera jamais capables de semer toutes ces voitures en pleine ville ! peste mon père.

— On va tout de même essayer, annonce Maude.

81

Nous traversons à vive allure la grande rue qui longe la gare et nous nous faufilons dans plusieurs petites ruelles qui grimpent vers la Haute-Ville.

— Tu sais où tu vas ? dis-je à Maude.

— À peu près…

— Mieux vaut éviter les grands axes, remarque David. Ils risquent d'être bloqués et nous avons plus de chances de les semer dans les ruelles.

La petite Golf se manie particulièrement bien dans les rues étroites de la vieille ville. Nos poursuivants ont du mal à nous suivre avec leurs grosses voitures de patrouille.

Nous arrivons en dérapant sur la seule rue que je connaisse à Québec : la rue Saint-Jean. Nous sommes dans la Haute-Ville. Même en plein hiver, ce quartier grouille d'activités et de touristes.

Maude essaye de caracoler entre les autres véhicules, mais les calèches nous ralentissent. Les sirènes de police hurlent. J'ai l'impression que si nous ne quittons pas très vite cette rue, nous serons encerclés dans très peu de temps. J'essaye de faire part de mes inquiétudes à notre pilote.

— Maude…

— Je sais, je sais…

Maude donne un coup de volant très sec. La voiture fait une embardée sur la droite et monte partiellement sur le trottoir. Nous passons devant l'hôtel de ville à toute allure sous le regard effaré de plusieurs touristes.

Face à nous, à une centaine de mètres, une autre voiture de patrouille arrive, gyrophares allumés.

Nouveau dérapage. Nous suivons cette fois une petite rue piétonne bordée de restaurants. Notre véhicule sautille sur les pavés. La voiture de police nous suit de près.

Maude évite de justesse plusieurs passants.

Nous débouchons juste à côté du château Frontenac.

— Désolée, pour les photos, on repassera… propose mon amie.

À notre droite, une rue longe le château. Trois voitures de patrouille attendent là. Malheureusement, il n'y a qu'une seule route que nous pouvons emprunter, c'est celle qui tourne à gauche juste devant nous. Elle est barrée ! Nous sommes dans un cul-de-sac !

Maude garde son sang-froid et relance la voiture de plus belle. En un coup de frein à main et quelques tours de volant, elle fait déraper la voiture afin de se mettre face à la barricade. Moteur à plein régime, elle fonce dans les barrières qui empêchaient notre passage. J'en ai le souffle coupé. Ma ceinture de sécurité a accusé le choc en appuyant très fort sur ma poitrine.

Notre petite voiture pousse les deux barrières et parvient à se frayer un passage dans la rue.

Sur le coup, je ne comprends pas pourquoi ce passage était barré. Pas de travaux, rien, la rue est déserte, hormis quelques gros camions garés sur le bas-côté.

Les sirènes se font de nouveau entendre derrière nous. Décidément, ils sont collants !

La rue commence à descendre, mais une fois de plus, nous sommes devant une rue barrée par un petit muret.

— C'est quoi cette manie de barrer les rues à tout bout de champ, ici ? se demande Simon.

— Ce n'est pas une manie, rétorque Maude en fonçant droit vers le petit muret, c'est un événement sportif.

Nous devenons tous blafards en passant à côté du panneau annonceur de l'événement qui se tiendra dans deux jours à l'endroit même où nous nous trouvons : « Red Bull Crashed Ice ». J'ai à peine le temps de comprendre ce que Maude a en tête.

— Maude, non, pas ça…

Trop tard, notre petite Golf a repoussé le muret de sécurité de la piste en dérapant. Nous venons littéralement de prendre le départ sur une piste de glace vive qui descend à pic vers le bas de la ville. Je n'ose pas imaginer ce qui va se passer dans les prochaines minutes.

— C'est peut-être le meilleur moyen de les semer, dit Maude en tentant de garder le contrôle de la voiture. Ils ne nous suivront pas ici.

— Je peux les comprendre, fait remarquer David en se cramponnant.

La Golf prend de la vitesse, beaucoup de vitesse. Je crois que le volant ne sert plus à grand-chose. La première partie de la piste est précisément destinée à donner un bon élan aux coureurs.

Nous arrivons à vive allure dans le premier tournant, une courbe relativement large. Maude rétrograde et fait hurler le moteur. Elle accélère à fond. Le véhicule retrouve un semblant d'adhérence qui lui permet de bifurquer légèrement. C'est insuffisant pour aborder le tournant. Nous nous collons à la barrière de sécurité et suivons la rampe qui nous maintient sur la piste.

Nouvelle descente, moins raide que la première, suivie d'une impression de « fin de route ».

— Qu'est-ce qu'il y a devant nous ? dis-je, effrayée.

— Une bosse, précise David. Accrochez-vous.

La Golf décolle sur ce qui doit probablement servir de tremplin aux patineurs. Pendant quelques secondes, les roues ne touchent plus le sol.

Nous retombons durement sur la glace. Devant nous : un autre tournant serré. Maude a tout juste le temps de braquer violemment en accélérant. La voiture ne répond quasiment plus. Elle tourne à peine et se jette sur le muret de sécurité qui, par chance, la maintient sur la piste. Les chocs que nous encaissons dans l'habitacle sont de plus en plus forts.

Nous descendons encore. Cette fois, devant nous, une multitude de petits dos d'âne. Ce n'est pas ce qui m'inquiète le plus. Le pire, ce sont les hommes qui sont en train d'attacher des bannières publicitaires sur le muret. Je ne sais pas à quelle vitesse nous allons, mais j'ai bien l'impression que Maude ne contrôle plus rien du tout, mis à part le klaxon, qu'elle fait hurler à tout rompre.

Les techniciens devant nous sont terrifiés. Ils ont à peine le temps de se lancer par-dessus la balustrade pour éviter la collision.

La voiture s'élance sur la série de petites bosses. Plusieurs d'entre nous percutons le plafond de l'habitacle à la première secousse. Cette sensation de tremblement de terre accéléré n'est pas des plus agréables.

Si la voiture avait encore des amortisseurs, maintenant, c'est clair, elle n'en a plus. Elle dérape à la sortie des dos d'âne. L'arrière de la Golf semble déséquilibré. Maude a du mal à la récupérer.

Nous nous engageons dans un tournant serré et en pente alors que la voiture est orientée à contresens. Au premier contact avec le muret de sécurité, nous faisons un tête-à-queue sur la piste. Nous voilà plongés dans la descente en marche arrière.

Maude essaye de remettre les gaz à fond pour faire ralentir la voiture, mais rien à faire, la glace est trop parfaite. Nous ne pouvons que nous laisser glisser.

Nous nous engageons dans une succession de larges marches d'escalier puis de petits virages en zigzag. Nous sommes ballottés de gauche à droite et encaissons des coups de tous les côtés.

Maude profite de cette valse pour, à la sortie des petits virages, tirer plusieurs fois sur le frein à main en espérant redresser le véhicule. Malheureusement, le tournant qui suit est très serré. Maude n'a pas le temps de rectifier la trajectoire. Nous percutons le muret à pleine vitesse. David encaisse le coup. Sa portière ne tient plus qu'à une seule de ses charnières. Sous le choc, la Golf se met de travers et c'est perpendiculairement à la piste que nous fonçons droit vers le prochain tremplin. Si nous atterrissons de l'autre côté dans cette position, la voiture va se retourner.

Je suis morte de peur à l'idée de faire plusieurs tonneaux dans cette boîte à sardines.

— Faut faire quelque chose !

Les nombreuses tentatives de Maude pour redresser la voiture sont vaines. Tout le monde en est conscient. Frein à main, coups de volant, accélération… plus rien n'y fait. Nous nous rapprochons beaucoup trop vite du tremplin. Notre automobile est transformée en luge.

David a brusquement une idée folle. Il se tourne tant bien que mal dans son siège et donne un violent coup d'épaule à sa portière. Celle-ci s'ouvre en bringuebalant. Je ne sais pas ce qui lui passe par la tête, mais sauter en marche dans une telle situation ne me semble pas une bonne solution.

— David, t'es fou ?

— Continue ! lance Maude, qui semble avoir compris. Ça peut marcher !

David donne plusieurs coups de pied dans l'accoudoir de la portière. Celle-ci, qui ne tient plus qu'à la charnière supérieure, commence à pencher vers le bas.

Mon copain s'acharne comme il peut. Nous ne sommes plus qu'à une trentaine de mètres du tremplin.

Tout à coup, le bas de la portière se pique dans la glace. Je comprends aussitôt où mon ami voulait en venir. Sous l'effet de ce frein improvisé, la voiture se redresse. Par contre, nous perdons la portière l'instant d'après.

Nous nous engageons sur le tremplin. La Golf décolle en étant légèrement en oblique.

L'atterrissage n'est pas aussi catastrophique que prévu. La voiture ne se renverse pas, mais l'angle avec lequel elle touche le sol provoque une vrille. Nous passons la dernière ligne droite comme dans un manège de tasses à café lancé à toute allure.

Notre course folle se termine par un violent impact. L'arrière de la voiture a détruit le muret de coussins épais destiné à amortir les coureurs lorsqu'ils arrivent en bas. La petite Golf termine enfin sa course dans un nuage de fumée et de glace pilée.

Nous restons figés quelques secondes, à l'intérieur de notre épave, en voyant le gâchis que nous avons laissé derrière nous. Il ne reste pas grand-chose de la piste du Red Bull Crashed Ice. Muret détruit, tremplin saccagé, glace à refaire… Maude résume parfaitement notre pensée à tous :

— Faut pas rester là. Débarquez !

À la remarque de notre compagne, tout semble reprendre vie. Le son ambiant revient à mes oreilles, l'animation autour de nous aussi.

En sortant, Simon est pris d'un malaise. Il titube et est tout pâle. Maude l'aide à se maintenir debout. Autour de nous, les sirènes de police approchent. Il va falloir faire vite. Pour le moment, l'endroit est désert, mais ça ne va pas durer. Tout le monde se retrouve autour de Maude.

— Soyez attentifs, je ne vais pas avoir le temps de me répéter, la police sera là dans moins d'une minute. Pour s'en sortir, on doit se disperser. Notre point de rendez-vous sera la gare d'autobus de Lévis. À dix-huit heures, il y a un bus direct pour Saint-Georges-de-Beauce. Soyez dans ce bus. Si on se croise avant d'être embarqués, on ne se connaît pas. Compris ?

Tout le monde hoche la tête. Je me pose toutefois une question.

— Qu'est-ce que tu veux aller faire en Beauce ?

— Fais-moi confiance, Lucie. Toi et ton père partez tout de suite avec le prochain traversier. Ne vous suivez pas de trop près, n'employez pas les mêmes itinéraires jusqu'à la gare, vous n'êtes pas censés vous connaître.

J'acquiesce.

— Simon, à deux pas d'ici, il y a un petit restaurant. Vous y entrez, allez aux toilettes pour vous rafraîchir et dînez là-bas. À quinze heures, vous prenez un taxi pour notre point de rendez-vous. Vous trois n'aurez aucun problème, vous êtes déguisés suffisamment pour ne pas être reconnus.

Maude se tourne vers mon copain.

— David, tu n'es pas censé être ici et tu es reconnaissable. Ta présence pourrait être considérée comme en rapport avec ce qui vient de se passer. Va falloir être discret. Mêle-toi à la foule, va faire les soldes d'après Noël, ça risque d'être bondé. Occupe-toi de ceci, ajoute Maude en donnant à David un petit papier. En heure de pointe, déplace-toi vers notre point de rendez-vous par le moyen que tu jugeras le plus sécuritaire, la police sera occupée, tu risques moins d'être repéré.

— T'inquiète pas pour moi, lance David, confiant, en jetant un œil au papier de Maude.

J'embrasse mon amoureux qui s'apprête à partir.

— Sois prudent, lui dis-je à l'oreille.

— Activez, les jeunes, lance Maude en partant de son côté. Tout se passera bien, vous vous ferez des bisous plus tard.

En l'espace de quelques secondes, notre groupe disparaît dans les petites rues de la vieille capitale.

J'emprunte pour quelques mètres le même itinéraire que Maude.

— Pas besoin de te presser, la police sait même pas que tu es avec nous.

Sans se retourner et en continuant de marcher d'un bon pas, Maude me répond :

— Elle sait ! Si des agents nous ont trouvés au port, c'est grâce au numéro de plaque de la voiture de location. Ils savent donc qui a loué le véhicule. Je suis fichée à l'armée et aux services secrets où j'ai travaillé. Ils savent précisément qui je suis et à quoi je ressemble.

Cette déclaration ne me fait rien présager de bon pour mon amie.

— Pourquoi tu ne l'as pas dit ? Mon père aurait pu te transformer.

— Ton père a laissé les mallettes de maquillage dans le van, il ne pouvait rien faire.

— Mais Maude, tu prends des risques inuti…

Mon amie se retourne subrepticement, juste avant de bifurquer dans une ruelle.

— J'ai l'habitude, chuchote-t-elle, un doigt sur la bouche.

L'instant d'après, je croise la petite rue dans laquelle Maude s'est engouffrée. Elle est déserte.

Chapitre 6

Après une matinée pour le moins mouvementée, le reste de la journée s'est relativement bien passé. En quittant le Vieux-Québec par bateau, j'ai pu voir les innombrables voitures de police stationnées près de la piste du Crashed Ice. Le déploiement de force était impressionnant. J'avoue que sans Maude, nous ne nous serions jamais tirés d'un tel pétrin. Je n'ai pas croisé mon père sur le traversier, j'ai l'impression qu'il a dû rester enfermé dans les toilettes pour s'assurer de ne pas être vu. À ma descente du bateau, j'ai pris l'initiative de faire un peu de magasinage à Lévis. Si les Wahlberg ont donné mon signalement, je ne suis pas aussi discrète que je le voudrais avec ce que j'ai sur le dos depuis ce matin. Il fallait que je change mon look.

J'ai également pris le temps de prendre une pause dans un café pour manger un peu. On parle de nous sur les chaînes d'informations québécoises. Maude a été ajoutée aux personnes recherchées. La police s'imagine bien qu'il y a un lien entre nous tous, mais elle est pour l'instant incapable de l'établir. En tout cas, après notre passage très remarqué à Québec, ce matin, les forces de l'ordre mettront les bouchées doubles pour nous mettre le grappin dessus.

Étant seule pour le reste de l'après-midi, j'ai eu envie de profiter de l'accès à Internet que proposent les bibliothèques publiques pour me documenter sur cet Edmund Wahlberg. J'ai bien envie de prouver à Simon que grâce aux nouvelles technologies, nos recherches peuvent avancer beaucoup plus vite qu'avec ses analyses en profondeur qui ne donnent rien.

Une heure plus tard, je l'avoue, j'ai un peu déchanté. Je me suis endormie sur le clavier, désespérée par mes piètres résultats. Je n'ai pu que confirmer les informations que nous avions déjà.

La bibliothécaire vient me secouer pour me réveiller. Quelqu'un d'autre voudrait le poste pour prendre ses messages.

Ses messages…

Je les prendrais bien, moi aussi, mes messages. Au fond, qu'est-ce que je risque dans une bibliothèque publique ? La police n'est tout de même pas cachée derrière les rayonnages.

Je demande à la bibliothécaire de me laisser encore deux minutes.

Parmi l'inondation de messages publicitaires se trouve un message de ma meilleure amie, Natacha, qui veut savoir ce qui se passe et où je suis. Elle me donne des nouvelles d'elle et de sa famille. Il paraît que la police est venue plusieurs fois chez eux pour les interroger sur nous. Ils sont un peu tannés et ont décidé de prendre leur dernière semaine de vacances de Noël, seuls, en famille, dans un chalet isolé près de Québec, où les moyens de communication sont volontairement plus limités. Pas d'Internet, pas de cellulaire. Natacha, malgré son bras dans le plâtre, veut en profiter pour apprendre le ski de fond à son petit frère. Il y a pas mal de pistes dans la région. À l'heure où je lis le message, ils sont déjà partis… pour une semaine… à Québec…

La situation ne s'arrange pas. Natacha et sa famille vont se retrouver dans un endroit retiré en plein dans la région où PREOS risque de provoquer une tempête et je n'ai aucun moyen de la prévenir. Je ne sais même pas précisément où elle est! Je tente malgré tout de lui envoyer un bref message pour lui suggérer de quitter leur lieu de villégiature car, d'après ce que j'en sais, les conditions climatiques pourraient se détériorer gravement. Tout ce que je peux espérer, c'est qu'elle prenne mon avertissement au sérieux et qu'elle en parle à ses parents…

Je quitte la bibliothèque dans les minutes qui suivent. J'ai besoin de prendre l'air pour réfléchir. Natacha se retrouve là par notre faute et je ne peux rien faire de concret pour l'aider. Il faut que je retrouve ma mère, c'est décidément la seule solution.

À peine suis-je rendue quelques rues plus loin que j'entends des sirènes de police arriver de toutes parts. Elles se dirigent vers la bibliothèque que je viens de quitter. J'accélère le pas. Se peut-il qu'ils m'aient repérée quand j'ai pris mes courriels ?

Quoi qu'il en soit, je n'ai pas l'intention d'attendre ici pour le savoir.

Deux rues plus loin, je hèle un taxi. Il est temps pour moi de me diriger vers la gare d'autobus.

Dix minutes plus tard, à l'intérieur de la station, je remarque immédiatement le nombre important de policiers déployés. J'ai bien peur que mon petit détour par mes courriels ne les ait alertés. Il va falloir jouer serré. Je ne sais pas ce que Maude a en tête en allant vers la Beauce, mais je commence à croire que nous ne serons plus en sécurité nulle part dans la province. Nous devrons être sur nos gardes en permanence.

Je repère Simon au fond de la station. Il a meilleure mine que tout à l'heure et a repris ses couleurs. Mon père est là aussi, il est en train d'acheter un billet. Dès qu'il sort de la file dans laquelle je me suis insérée à mon tour, il m'aperçoit et ne peut retenir un sourire. Je lui souris à mon tour.

Aucune trace de David et de Maude. J'espère qu'il ne leur est rien arrivé.

J'achète mon billet et je vais attendre l'autobus avec des dizaines d'autres passagers en essayant de ne pas croiser les regards des nombreux policiers.

Au moment de l'embarquement, toujours pas de nouvelles de nos deux amis. Je commence à paniquer…

Assise dans le bus, seule sur la banquette, j'épie tous les voyageurs qui entrent. Toujours rien. Le bus part dans cinq minutes.

Au dernier moment, je vois un jeune homme, probablement un joueur de hockey, coiffé d'une casquette et d'une veste à l'effigie des Remparts de Québec. Il est chargé de deux énormes sacs propres à ce sport. Il les enfourne dans la soute du bus et vient prendre place à bord.

C'est le dernier passager à entrer. Le chauffeur ferme les coffres à bagages et s'installe derrière le volant.

Quand le sportif vient s'asseoir près de moi, je comprends immédiatement que David, lui, est à bord.

Dès que nous quittons la station, je me tourne vers lui.

— Où est Maude ? Elle devait être avec nous !

— Elle n'est pas dans le bus ?

— Non, mon père et Simon sont là, mais Maude a disparu.

— Ne me dis pas que j'ai transporté ce matériel toute la journée pour rien !

— Qu'est-ce que tu as, là-dedans ?

— De quoi affronter l'hiver à Iqaluit !

— Elle devrait être là… dis-je en me levant. Je vais aller demander à mon père s'il l'a vue.

Je passe à côté de mon ami.

— En tout cas, ton déguisement ne te va pas si mal, dis-je en pouffant de rire.

David me donne une petite tape sur la hanche en rigolant à son tour.

Mon père est assis, je devrais dire coincé, à côté d'une grosse dame peinturlurée de maquillage et recouverte par une coiffure qui, d'après moi, même dans une tornade, ne bougerait pas d'un millimètre. Il n'a pas l'air très bien installé.

— Où est Maude ? me demande-t-il, aussi inquiet que moi.

— Pas dans le bus, en tout cas !

— Alors, qu'allons-nous faire en Beauce ?

— Tu veux qu'on arrête l'autobus en marche ?

— Non, au moins, là-bas, on devrait pouvoir réfléchir deux minutes sans avoir la police à nos trousses.

— Ton après-midi s'est bien passé ?

Mon père hoche la tête.

— Je suis allé faire un tour à l'Université Laval. Je voulais en savoir plus sur ce type.

— T'as fait quoi ?

— Je sais, Lucie, c'est à l'envers du bon sens, mais c'est plus fort que moi, j'ai besoin de savoir…

— Savoir quoi ? Maude t'avait dit d'embarquer sur le traversier en même temps que moi. T'aurais pu te faire repérer !

— Savoir ce qu'il a de plus que moi. Ce type est un dragueur maladroit, avec un sens de l'humour douteux et pourtant, c'est avec lui que ta mère a choisi de vivre plusieurs années. J'ai besoin de savoir, c'est tout…

Je me rends compte sur le coup dans quelle détresse se trouve mon père. Les vraies raisons pour lesquelles ma mère est supposée l'avoir quitté il y a plusieurs années ne lui semblent plus qu'un prétexte.

— T'as mis la main sur quelque chose ? dis-je en pensant aux mots de passe que je dois trouver.

— Rien d'utile. Apparemment, Wahlberg a disparu avec toutes ses recherches. L'université n'a pas apprécié, puisque son travail appartenait officiellement à l'institution.

— Et ils n'ont pas pu te dire sur quoi il travaillait ?

— Si justement… je l'ai noté ici…

Mon père sort un bout de papier sur lequel il a griffonné quelques mots.

— D'après la secrétaire du département, un truc qui s'appelle la résonance de Schumann. Ça ne me dit rien du tout.

— En tout cas, c'est trop long pour entrer dans la combinaison du mot de passe. Je vais aller demander à Simon pour savoir ce qu'il en pense.

Mon père hoche la tête.

— Tu sais, dis-je pour essayer de le réconforter, on ne connaît pas toute l'histoire. Faudrait peut-être attendre d'avoir la version de maman.

— Tu n'as pas l'air très convaincue par ce que tu dis, Lucie. Et puis, qui te dit que nous l'aurons un jour ? Je ne voudrais pas trop te décevoir, mais ta mère est probablement à l'autre bout du Canada et nous n'avons aucun moyen de la rejoindre. Pour le moment, nous sommes des fugitifs qui ne savent pas trop où aller et qui viennent de perdre leur principal atout face à ce genre de situation : Maude. D'ici vingt-quatre heures, nous serons probablement arrêtés. Je préfère vivre avec la réalité en pleine face que dans un rêve qui ne se réalisera sans doute pas, le réveil est moins dur.

Même si mon père a raison, je refuse de baisser les bras si rapidement.

— On doit la retrouver. Il n'y a pas d'autre solution, dis-je en lui tournant le dos et en cherchant Simon du regard.

Celui-ci est plongé dans un journal en train de décortiquer les petites annonces à la rubrique «Emplois». Je m'assois à côté de lui.

— Où est Maude? me demande-t-il en me voyant arriver.

— C'est ce que j'étais venue vous demander.

— La situation continue de se dégrader, peste Simon.

— Simon, la tempête que veut lancer Atmospheric... Qu'est-ce qu'on risque, au juste?

— Je ne comprends pas...

— De quoi le projet de ma mère est-il réellement capable?

— Du pire et du meilleur. Avec le projet Tesla, il est autant possible de faire tomber une fine pluie sur le désert du Sahel que de dévaster un pays tout entier par un cataclysme climatique.

— Dévaster... Vous voulez dire : quelques inondations par-ci par-là et beaucoup de vent, de la grêle, des choses comme ça?

— Je veux dire faire plonger la température suffisamment pour éradiquer une bonne partie des êtres vivants, engendrer des vents dévastant tout sur leur passage, accompagnés de précipitations qui pourraient durer des semaines...

— Mais... mais... ce n'est pas ça qu'Atmospheric va déclencher sur le Québec, n'est-ce pas?

— À première vue, politiquement, je n'en verrais pas l'intérêt. PREOS et Atmospheric ne cherchent qu'à intimider notre gouvernement, pas à déclarer la guerre.

— Ouf! Alors, on ne doit pas s'attendre à autre chose qu'à un gros verglas!

— Ce n'est pas si simple.

Je fronce les sourcils. J'attends un éclaircissement. Le journaliste reprend.

— Atmospheric vient juste de mettre la main sur le projet. Personne dans l'entreprise n'a pu effectuer le moindre test avec le projet fonctionnel.

— Et alors, ils ont le mode d'emploi sur papier, non ?

— D'après ce que j'en ai lu, modifier le climat demande pas mal de doigté. C'est un peu comme un jeu de Mikado. Une intervention à la mauvaise place, au mauvais moment, et tout peut s'écrouler. La nature ne se laisse pas contrôler aussi facilement, elle a vite fait de reprendre ses droits.

— En pratique, ça donne quoi ?

— S'ils perdent le contrôle sur la créature qu'ils ont engendrée, une petite tempête pourrait prendre des proportions démesurées et faire beaucoup de ravages. On ne parlerait plus ici d'un simple verglas, mais de conditions apocalyptiques laissant peu de chances de survie à la population touchée.

Simon me dévisage. Je ne dois pas avoir l'air trop en forme.

— Gardez espoir, Lucie, on peut encore y arriver, me rassure-t-il en me tapotant le genou.

J'essaye de reprendre mes esprits. Il faut aller de l'avant. Continuer nos recherches. Absolument continuer…

— Ça vous dit quelque chose, la résonance de Schumann ?

Simon redresse la tête immédiatement et prend quelques secondes pour rassembler ses idées.

— Vaguement, oui. Peux-tu me mettre sur une piste ?

— Mon père est allé à l'université où travaillait Wahlberg. Il étudiait ce sujet.

— J'ai l'impression que nous touchons quelque chose. Souvenez-vous du bout de phrase que nous avons trouvé dans le projet Tesla : « En résonance », *au nord changeant, d'infimes vagues de courant s'imbriqueront et...*

— Vous n'allez pas recommencer !

— C'est lié, j'en suis certain. Votre mère voulait nous mettre sur la piste de ses travaux chez Énertech.

— Mais c'est quoi cette résonance de Schumann ?

— Votre mère en parle dans son projet, remarque le journaliste en attrapant la mallette contenant le dossier. Pouvez-vous jeter un œil sur Internet ? Ça pourrait nous mettre sur la piste.

Décidément, Simon et les ordis, ça fait deux.

— Je ne peux pas me connecter au Web dans un bus sur l'autoroute, voyons !

— Quoi, ça ne marche pas partout, ces affaires-là ?

— Décidément, Simon, il va falloir que je vous apprenne comment tout ça fonctionne.

— Sans façon, merci bien ! rétorque le journaliste en mettant le dossier à plat sur ses genoux.

Il fouille quelques instants puis finit par pointer ce qu'il cherchait.

— Voilà : d'après Tesla, il était possible d'amplifier une charge électrique grâce à un phénomène de résonance entre la Terre et l'ionosphère. Ce principe a été démontré des décennies plus tard par un scientifique allemand du nom de

Schumann, c'est pourquoi il porte son nom. Apparemment, il existerait un espace, appelons-le une cavité, entre la surface de la Terre et l'ionosphère. Cette cavité est un conducteur d'électricité. Il n'y a qu'à observer les éclairs. D'après Tesla, elle aurait aussi une capacité de résonance, exactement comme si on frappait la surface d'un plan d'eau à un rythme régulier.

— La vague qui se propagerait serait de plus en plus grosse.

— Précisément, elle s'amplifie.

— Si Wahlberg avait ce sujet de recherche, je peux comprendre que ma mère se soit intéressée à lui !

— Tout à fait, c'est la base même du projet Tesla. Être capable de produire de l'énergie par résonance afin de pouvoir l'utiliser à certains endroits de l'atmosphère pour modifier le climat.

— En tout cas, ça n'aide pas pour trouver le mot de passe du dossier codé ! Est-ce que, au moins, cette information peut vous aider à mieux localiser l'endroit, dans le Grand Nord, où se cache ma mère ?

— D'après Baptiste, ta mère est partie en direction de la baie de Baffin. Ce qui me confirme qu'elle doit œuvrer à partir de l'Arctique, tout comme Atmospheric Energies, car les couches de l'atmosphère y sont plus basses et, d'une certaine manière, plus accessibles. Un spécialiste du calibre de Wahlberg a peut-être découvert que la résonance de Schumann doit, pour fonctionner de façon optimale, être provoquée à partir d'un certain endroit, reprend Simon. Il y a aussi ce bout de phrase qui ressemble à une indication : *le nord changeant...* mais je ne comprends pas cette référence.

— Le pôle Nord, non ?

— Mais pourquoi « changeant » ? Le pôle Nord est un point fixe. Ça ne doit pas être aussi simple. Les réponses sont forcément dans le dossier qu'on a copié chez Énertech. Ta mère et Wahlberg ont dû commencer la mise en œuvre du projet Tesla par une analyse approfondie de cette résonance.

— On tourne en rond, n'est-ce pas ?

Simon essaye de me motiver.

— Oui et non. Déverrouiller ce fichier aiderait beaucoup. Toutefois, je persiste à croire qu'ils doivent se trouver près d'un endroit habité, car ils ont besoin d'énergie pour faire fonctionner l'installation. Or, après les pistes que nous a lancées Baptiste, je commence à penser que la communauté de Grise Fiord pourrait être l'endroit idéal.

Simon se gratte la tête, un peu hésitant.

— Enfin, bien sûr, ce n'est qu'une supposition.

J'observe le journal que Simon a replié sur ses genoux. Une idée me vient.

— Vous cherchez vraiment une job là-dedans ?

— Quand on va arrêter de nous courir après, va bien falloir que je me trouve un nouvel employeur.

— Vous savez, Simon, mon père a toujours travaillé à son propre compte en passant d'une troupe de théâtre à l'autre, en négociant ses propres contrats, afin de rentabiliser au maximum son savoir-faire. Il a toujours été son propre patron.

— Une suggestion à faire, Lucie ?

— Eh bien, avec nous, sans vouloir me vanter, vous avez une histoire en or… Ce n'est pas pour rien que vous m'avez demandé l'exclusivité du reportage, non ?

— En effet, mais c'était en considérant que je travaillais toujours pour Radio-Canada.

— Alors pourquoi restez-vous avec nous ? Vous avez été viré… Si la seule condition pour écrire un bon reportage était d'avoir un employeur comme Radio-Canada, vous pourriez très bien rentrer chez vous !

Simon semble surpris par mes déclarations brutales.

— Mais… mais non, enfin… j'ai besoin de savoir, j'ai besoin d'aller jusqu'au bout !

— Et après ? Vous semblez dire que si vous n'êtes plus un journaliste « officiel », vous ne pouvez plus écrire.

— J'imagine que c'est comme une sorte d'instinct. Il faut que je continue.

Je souris, contente d'amener le journaliste exactement là où je le voulais.

— Précisément. Juste à voir comment vous avez mené les entretiens avec les Wahlberg et avec Baptiste, ce n'est pas difficile de comprendre que vous êtes fait pour cette job.

— J'ai fait ce travail une bonne partie de ma vie, c'est normal. Où voulez-vous en venir, Lucie ?

— Vous m'avez dit que les médias comme la presse écrite et les reportages à la télé sont de moins en moins regardés !

— Oui, enfin, il y a toujours bien quelques *aficionados*.

103

— Pourquoi ne pas viser un média où vous pourriez toucher des lecteurs de la terre entière, où vous avez toutes les chances d'être lu massivement et où vous seriez votre propre patron ?

— Quoi, tu veux que j'écrive un livre ? J'avoue que j'y avais pensé, mais je…

— Non, pas un livre, c'est un truc de vieux, ça ! Écrivez un blogue !

— Un blogue ? Les trucs sur Internet, là ?

— Absolument ! Allez là où on vous attend le moins !

À la simple mention d'Internet, Simon se referme immédiatement. J'avoue que ses préjugés m'exaspèrent un peu.

— Faut rester réaliste, Lucie. Vous avez vu ce qui s'est passé chez Énertech ? Je vous l'ai dit, j'ai un mauvais karma avec ces engins ! Et puis, c'est bien beau un blogue, mais ce n'est pas avec ce genre de média que je vais pouvoir subvenir à mes besoins !

— Vous voulez que je vous dise… Je trouve que, pour un journaliste, vous avez beaucoup d'idées préconçues. Sur un blogue, vous pouvez savoir exactement combien vous avez de visiteurs, de quelle nationalité ils sont, ainsi qu'une foule d'autres informations sur vos lecteurs. Ces renseignements sont précieux pour les annonceurs qui, si votre blogue est achalandé, vont se ruer à votre porte pour venir placer des publicités sur votre page. Vous pensez que ce n'est pas payant ? Moi, je vous garantis qu'avec l'histoire qui nous lie, ce que vous pourriez en retirer dépasserait de loin votre salaire de Radio-Canada.

— Lucie, ce sont des outils de votre génération, pas de la mienne. Je suis trop vieux pour me mettre à l'informatique.

Il m'énerve ! Je me lève.

— Sapristi, Simon, dis-je en haussant le ton. Vivez un peu avec votre temps ! Le Web est un outil beaucoup plus puissant que les anciens médias, comme vous les appelez. Les annonceurs l'ont compris depuis longtemps. Je suis disposée à vous expliquer comment ça marche, mais je ne ferai rien sans un minimum de bonne volonté de votre part.

Je pense que j'ai quelque peu estomaqué Simon par mes propos un peu secs. Sincèrement, j'ai rarement vu quelqu'un d'aussi réfractaire à l'informatique. Même mon père n'atteint pas un tel niveau.

Je retourne m'asseoir près de David.

— Du neuf ? demande-t-il, impatient.

— Pas grand-chose. Mon père déprime dans son coin et Simon préfère chercher une job de dépanneur plutôt que de faire son vrai travail.

— Et maintenant ?

Je soupire.

— Je ne sais pas. J'ai l'impression d'avoir besoin d'une douche, d'un bon dîner et d'une nuit complète de sommeil pour pouvoir réfléchir. Au lieu de ça, on est coincés dans un bus en direction de Saint-Nulle-Part sans rien qui nous attend à l'arrivée.

— On devrait prendre un motel rendus là-bas. Il nous reste suffisamment d'argent de Maude pour pouvoir nous payer une nuit de repos. On réfléchira mieux demain matin. En attendant, si tu veux faire une sieste…

David me tend son épaule.

Je ne sais pas si c'est la fatigue, le stress ou les deux à la fois, mais cette petite attention toute simple de David, son regard, sa présence me rappellent à quel point il compte pour moi.

Pour la première fois, je ne me gêne pas pour lui donner un long baiser passionné. Je reste collée à sa bouche cinq longues minutes, qui valent pour moi tous les calmants du monde. David est étonné.

— Wow ! Je ne pensais pas que mon épaule te faisait un tel effet !

— C'est pas juste l'épaule… dis-je en m'appuyant sur lui et en fermant les yeux.

▲ ▼ ▲

Je suis assoupie depuis quelques minutes à peine, il me semble, quand mon copain me secoue pour me réveiller.

— On est arrivés, me chuchote-t-il à l'oreille.

J'émerge tranquillement en attendant que tous les passagers soient sortis du bus. Dehors, mon père et moi aidons David à transporter ses gros sacs de sport. Ils sont vraiment pesants. J'ai confié mon sac patchwork à Simon, qui s'occupe aussi de la mallette qui contient le projet de ma mère.

À l'extérieur de la gare d'autobus, le froid redouble d'intensité. Nos manteaux suffisent à peine à nous tenir au chaud. Quand nous arrivons sur le trottoir, il n'y a plus âme qui vive dans la rue, pas même un taxi. Des bourrasques de vent me glacent le visage.

— Quelqu'un a une suggestion ? demande mon père.

Nous sommes désespérés.

— Qu'est-ce qu'on est venus faire dans ce patelin ? s'interroge Simon.

— Faut trouver un motel ou un gîte, propose David. On ne va pas passer la nuit dehors. On aura les idées plus claires demain matin.

Un vieux *pick-up* bringuebalant débouche au loin dans la rue où nous nous trouvons. Il vient vers nous. Le camion s'arrête. L'homme ouvre la fenêtre du côté du passager.

— Vous avez l'air ben loin de chez vous ! Besoin d'aide ?

— Vous savez où on peut trouver un motel dans le coin ? s'informe mon ami.

— Doit pas y en avoir beaucoup d'ouverts de ce temps-ci, mon gars. T'es pas à Montréal, icitte !

— Vous savez pas où on pourrait passer la nuit ?

Le visage de l'homme prend un drôle de rictus.

— Ouais, je pourrais vous trouver ça. Montez et mettez votre stock dans la boîte du *truck* !

Sur le coup, l'individu ne m'inspire pas confiance du tout. Je me demande si on fait bien de monter avec lui. D'un autre côté, il doit connaître le coin et c'est probablement notre seule chance de trouver un endroit où se loger.

— C'est un peu à l'extérieur de la ville, dit le conducteur en démarrant. Va falloir être patients, les routes sont pas très dégagées.

Mon père, qui s'est assis à côté de lui, le remercie chaleureusement.

Tout au long du trajet, il nous parle de son travail d'agriculteur, de ses récoltes, de sa ferme… et blabla et blabla, je
m'assoupis une fois de plus.

Je suis réveillée près de cinquante minutes plus tard. Simon
a haussé le ton.

— … Écoutez, ça fait plus d'une heure que vous nous
promettez d'arriver. Une heure que nous roulons à travers la
campagne déserte. Vous n'allez tout de même pas nous faire
croire qu'on va trouver un motel ici ? Qui êtes-vous, qu'est-ce
que vous nous voulez ?

— Désolé, mon cher monsieur, j'ai jamais dit que je vous
trouverais un motel, j'ai dit que je pouvais trouver un endroit
où vous loger !

— Si vous êtes perdu, reprend mon père poliment, vous
pouvez le dire, on ne le prendra pas mal du tout…

— Je ne suis pas perdu. Tenez, on arrive.

Nous regardons tous autour de nous. Rien. Il n'y a rien du
tout à part des champs à perte de vue. Sur le coup, j'ai l'impression que nous avons vexé notre hôte et qu'il a l'intention
de nous débarquer au beau milieu de nulle part.

— Comment ça, on arrive ? reprend Simon. Vous n'allez
tout de même pas nous débarquer ici, en pleine nuit ? Il fait
-20°C dehors.

— Je ne peux pas aller plus loin avec le *truck*, j'ai pas
encore passé la gratte dans le chemin.

Je regarde de part et d'autre la route.

— De quel chemin vous parlez ? Il n'y a aucun chemin ici !
dis-je, pas contente du tout d'avoir à sortir à cette heure
et par ce froid.

— Allez, débarquez ! ordonne l'homme en descendant
lui-même de la voiture.

Le drôle de personnage sort nos gros sacs de la boîte du
camion et les dépose sur le bas-côté, dans la neige. Mon père
tente de récupérer la situation.

— Écoutez, on ne voulait pas vous vexer. Ce n'est peut-
être pas la peine d'en arriver à une solution aussi radicale.

Le conducteur n'écoute pas. Il attrape une lampe de poche
dans son camion et essaye de l'allumer. À présent, nous sommes
tous hors du *pick-up*, transis par le froid, en train de le prier de
bien vouloir nous laisser remonter à bord. Rien n'y fait. David
n'a pas l'intention de le laisser faire ça. Il attrape l'homme
par le collet et le plaque sur la carrosserie du camion.

— Écoutez-moi bien, mon cher monsieur, le menace-t-il,
vous allez nous emmener dans un endroit où on peut dormir
au chaud, compris ? Sinon, je vous jure que je vous attache
à un tronc d'arbre et qu'on part avec votre bazou !

— Wow, p'tit-gars, choque-toi pas ! Je fais ce qu'on m'a
demandé, moi. Pensais pas que vous étiez susceptible de même !

David le relâche.

— Qui vous a demandé de nous emmener ici ?

— À votre avis ? lance-t-il d'un air complice, en tapotant
sa lampe de poche jusqu'à ce qu'elle s'allume. Ahhh, voilà !

L'agriculteur nous tend sa torche.

— Tenez, vous en aurez besoin, c'est pas éclairé, ajoute-t-il en nous montrant un petit sous-bois juste de l'autre côté de la route.

Il regrimpe aussitôt dans son camion, pressé de se débarrasser de nous.

— Pour qui travaillez-vous ? insiste David.

Pas de réponse. Le camion repart en trombe.

Nous voilà en pleine nuit, perdus sur un chemin de campagne, avec comme seul secours une lampe de poche vacillante.

— Rendus là, dis-je, désespérée, la situation ne peut pas aller plus mal !

Chapitre 7

Nous nous apprêtons à poursuivre la route à pied quand Simon, à qui je viens de confier la lampe de poche, nous fait revenir sur nos pas.

— Regardez ici ! Il y a un petit chemin !

Un sentier, à peine de la largeur d'une voiture, s'enfonce dans le sous-bois qui longe le champ. C'est étrange, c'est comme si j'étais déjà passée dans le coin.

— Le gars du camion avait l'air de dire que c'est par là que nous devions aller ! remarque David.

— J'ai l'impression d'être dans un film d'épouvante, rétorque mon père.

— Je crois qu'on devrait essayer quand même, dis-je en me fiant à mon intuition.

Nous nous engouffrons dans le petit sentier en suivant des traces de voiture qui ont tapé la neige par endroits.

David et mon père, chargés des gros sacs, n'ont pas l'air follement emballés.

— J'espère qu'on n'a pas dix kilomètres à faire ! peste mon père.

— Je ne pense pas, réplique David, nous sommes déjà venus ici.

Je me retourne vers mon ami.

— Toi aussi, tu as cette impression-là ?

Il me le confirme en pointant quelque chose à l'horizon.

— Ce n'est pas juste une impression, c'est de là que nous sommes partis ce matin, précise David en montrant la vieille grange à côté de laquelle nous étions stationnés à l'aube.

J'observe un instant ce gros bâtiment rural complètement délabré. Il y a du Maude là-dessous. Par contre, si c'est un point de rendez-vous, elle aurait pu choisir autre chose que cette ruine.

La grange en question a les proportions d'une très grosse maison, mais sa structure s'est fortement inclinée avec le temps. Au point de donner l'impression qu'elle va s'écrouler au premier coup de vent. Au départ, la bâtisse devait être en clins de bois, mais par endroits, ceux-ci ont été remplacés par toutes sortes de matériaux. Plaques de tôle, panneaux de contreplaqué ou même de la brique. Le toit est en piteux état. Là encore, j'ai l'impression que tout ce qui pouvait être utilisé pour reboucher les trous a été employé. On distingue sur le côté une petite porte esquintée et une autre, très grande, en façade… Probablement qu'elle servait à faire entrer les véhicules agricoles dans la grange. Presque pas de fenêtres.

Deux, minuscules, sur le côté, et une lucarne sur la face avant. On est à deux cents mètres du bâtiment et pourtant, d'ici, j'ai l'impression de voir une lueur provenir de ces fenêtres.

— C'est éclairé. On devrait aller voir, j'ai l'impression qu'on va tomber sur quelqu'un qu'on connaît.

Les autres m'emboîtent le pas péniblement.

Arrivée devant la porte, je cogne sur un montant. J'espère au moins qu'il y a le chauffage à l'intérieur.

Une première porte s'ouvre, mais pas celle devant laquelle je suis plantée. Puis une autre. Cette fois, c'est la bonne. Une bouffée de chaleur nous englobe immédiatement et une délicieuse odeur de cuisine nous invite à passer le pas de la porte au plus vite. Maude est juste devant moi.

— Aaaahhh, mais c'est de la grande visite ! Alors, le voyage avec monsieur Cousineau n'a pas été trop laborieux ?

— Il n'est pas du genre causant ! J'ai bien cru qu'il allait nous faire la peau en plein champ !

— Désolée, il sait qu'il doit être discret concernant mon repaire.

— Ton repaire ?

— Mais entrez, entrez, on va en discuter au chaud.

L'endroit dans lequel nous invite Maude n'a absolument rien à voir avec l'aspect extérieur de la grange. Il y a carrément une maison construite dans le bâtiment de ferme. Toute la structure intérieure de l'habitation est en bois massif, un peu comme un chalet en rondins. Les architectes ont dû tenir compte de l'inclinaison de la grange et ont bâti de nouveaux murs inclinés, mais du plus bel effet. C'est un peu comme un immense loft de plain-pied. Il n'y a pas de pièce au rez-de-chaussée, mais plutôt un espace salon, un espace cuisine, un autre pour les bibliothèques, etc. Le mobilier hétéroclite est particulièrement bien agencé avec le cachet de ce magnifique endroit. Au-dessus de nous, une grande mezzanine domine la moitié de la grange. J'imagine qu'on y trouve les chambres et autres commodités. J'avoue qu'on se sent à l'aise chez Maude. Après la journée que nous avons vécue, je ne m'attendais pas à passer la soirée dans un lieu si accueillant. J'imaginais encore moins y trouver un ticket pour notre prochaine destination : l'Arctique.

En effet, je mets un certain temps avant de remarquer que tous les autres sont tournés dans la direction opposée et admirent autre chose. Je me retourne à mon tour… Wow ! Un massif hélicoptère étincelant est planté là, face au salon, et occupe plus du tiers de l'espace au sol !

— Qu'est-ce que… dis-je en bredouillant.

— Un Eurocopter EC 145, lance fièrement Maude. Il est beau, non ?

— Il est à vous ? demande Simon en faisant lentement le tour de l'engin.

— Bien sûr qu'il est à moi ! Je l'ai racheté il y a quelques années au service pour lequel je travaillais et qui voulait s'en départir pour une bouchée de pain. Pour ce genre de chose, ça vaut la peine d'avoir des contacts dans le milieu…

— Mais qu'est-ce que tu fais avec ça ? dis-je, abasourdie.

— Je t'ai parlé de mon projet d'ONG spécialisée dans le déminage. Je t'ai dit que j'avais déjà acquis une partie du matériel. Eh bien, disons que lui, c'était le plus gros morceau! Faut pouvoir être mobile sur le terrain dans ce type de travail, avoir un bon espace de rangement, une autonomie de vol suffisante. Lui, il était parfait!

— Quelque chose me dit qu'on n'a plus trop à s'inquiéter pour se rendre à Grise Fiord, remarque mon père.

— Ça va me faire plaisir de vous y emmener, confirme Maude. Moi, tant que je peux voler, je suis au paradis.

Je lui saute dans les bras, trop contente que tout aille aussi bien tout à coup. La chaleur de sa belle maison, le voyage qui s'annonce et la délicieuse odeur de nourriture qui flotte dans l'air, après une si dure journée, j'en ai les larmes aux yeux.

— Venez vous asseoir, suggère notre hôte, le souper est prêt.

Maude nous installe autour d'une jolie table rustique où nous attend une soupière remplie à ras bord.

On ne peut s'empêcher, tout au long du repas, de reparler de notre journée de fou. Mon père et Simon ont bien cru qu'ils finiraient écrasés contre un muret lors de notre poursuite en Golf et David trouve que transporter les sacs a été la partie la plus dure de la journée.

— Tu as trouvé tout ce qu'il y avait sur ma liste? l'interroge Maude.

— Je pense que oui, rétorque David. Je crois avoir les bonnes tailles.

— Mais qu'est-ce que tu transportais dans ces sacs de sport ? dis-je, curieuse.

David se lève et va ouvrir un des sacs.

Il en sort plusieurs habits de neige, des tuques, des mitaines, mais aussi plein de provisions, des boissons, bref de quoi tenir un siège au pôle Nord.

Je me tourne vers Maude.

— Tu savais depuis un moment qu'on allait partir pour Grise Fiord.

— J'ai compris en rencontrant Baptiste que l'hélicoptère était notre meilleure solution pour rejoindre notre destination. Partant de là, il fallait prévoir une expédition qui soit prête à décoller dès demain matin. J'ai donc remis à David une liste des choses dont nous allions avoir besoin pour qu'il s'occupe de l'épicerie pendant que je venais préparer l'engin. Il ne nous reste que quelques jours avant l'ultimatum de PREOS, on a intérêt à faire vite.

— Tu penses qu'on peut y arriver ? dis-je, pleine d'espoir.

— J'ai calculé de quatorze à quinze heures de vol. Plusieurs ravitaillements seront nécessaires. J'ai repéré quelques endroits isolés où ce sera possible. On ne devrait pas trop y faire attention à nos identités. Si nous partons à l'aube, en considérant que j'aurai besoin de faire un arrêt pour dormir un peu, on devrait arriver après-demain, lundi, dans l'après-midi. La météo s'annonce clémente. Ça nous donne suffisamment de jeu.

— Et si on se trompait ? Si elle n'était pas du tout là où on l'imagine ? intervient subitement David.

116

— C'est un risque à prendre, juge Simon. Il nous manque des données, c'est certain. On doit pourtant commencer les recherches quelque part.

— On n'a pas juste le temps de « commencer », Simon. On n'a pas droit à l'erreur ! Je vous rappelle que nous avons la police de la province sur le dos ! Ça fait pas mal de monde et je sais de quoi je parle. On serait mieux d'être sûrs de notre coup.

Comme moi, Maude a remarqué le changement d'attitude de mon ami.

— Qu'est-ce qui se passe, David ? Me semble que tu prends cette histoire très à cœur, tout à coup.

— Il ne se passe rien de spécial. C'est que… enfin, faudrait pas qu'on fasse fausse route, c'est tout.

— Pour le moment, j'ai quand même l'impression que nous sommes sur une piste intéressante. Il faut continuer dans cette voie-là, prétend le journaliste.

Je me colle sur David pendant que Maude nous sert un délicieux plat de résistance à base de viande mijotée.

— Vous pourrez prendre une douche après le souper et profiter de lits confortables pour cette nuit. Simon et Sidney, vous occuperez la chambre d'ami, Lucie et David, je vous prête ma chambre, je dormirai sur le divan-lit. Arrangez-vous pour être en forme demain matin.

David et moi nous regardons. C'est la première fois que nous partagerons le même lit. Mon père n'a pas l'air enthousiasiste.

Voyant la position délicate dans laquelle elle nous a placés, Maude ne peut s'empêcher de rire.

— Oh là là, Sidney, fais pas cette tête, ta fille est bien assez grande pour prendre ses responsabilités ! Me semble qu'elle te l'a déjà prouvé, non ?

Maude se tourne vers nous.

— Quoi, Lucie, tu préfères faire dodo avec ton papa ? Je peux placer David avec Simon, si tu veux…

David sourit à son tour.

— Pour regarder Simon éplucher le projet Tesla toute la nuit ? Non merci ! C'est très bien comme ça.

Je n'ose plus rien dire. Cette situation m'embarrasse beaucoup. Je crains ce que David attend de moi. Je ne me sens pas prête pour ça.

Maude me regarde, je rougis. Je me tais.

▲ ▼ ▲

Après le souper, alors que mon père prend une douche et que Simon aide Maude à faire la vaisselle, je m'assieds près de David, qui est enfoncé profondément dans le canapé et plongé dans ses pensées.

— Ça n'a pas l'air d'aller, depuis quelque temps. Tu n'as pas dormi la nuit passée, qu'est-ce qui te tracasse ?

— Je me demande ce que je dois faire.

Je ne comprends pas bien le sens de sa réflexion.

— Qu'est-ce que tu veux dire ?

— Mes supérieurs ne me font plus confiance. Ils me font suivre pour savoir ce que je suis en train de fabriquer. Non seulement je risque de perdre mon poste, mais si ça continue, je vais finir derrière les barreaux. Je n'ai pas envie de me retrouver dans un endroit qui me rappelle mon adolescence…

— Tu penses que ce serait mieux de t'arrêter ici et de leur dire la vérité pour qu'ils reprennent confiance ? C'est ton droit, je ne t'en voudrais pas pour autant. Et puis, maintenant que ça va un peu mieux avec ta mère et ton beau-père, je comprends que tu veuilles les voir un peu.

— Ils n'ont rien à voir là-dedans. Je leur ai dit que pour le moment, c'était plus sécuritaire de continuer comme nous l'avons toujours fait. Mieux vaut ne pas se voir tout de suite et faire croire que nous ne nous sommes plus vus depuis plusieurs années. Et puis, pour mon travail… Tu me vois aller leur dire que j'ai participé délibérément à votre fuite du Casino ? Et à votre escapade à l'aéroport ? Tout ça pour retrouver quelqu'un qui a soi-disant inventé une façon de modifier le climat de la terre entière ? Tu penses sincèrement qu'ils vont me croire ?

— C'est quoi ta solution ?

— Il faut retrouver ta mère. Si elle peut confirmer toutes les spéculations qui tournent autour de ce projet, si le projet Tesla existe bel et bien, et si nous pouvons effectivement faire quelque chose pour éviter cette tempête, alors je pense qu'ils accepteront mes écarts de conduite. De toute manière, c'est avec vous que je suis le plus utile et je ne me vois pas vivre à des kilomètres de toi en ce moment.

Je souris. Cette marque d'affection me touche beaucoup.

— Je suis heureuse que tu sois avec nous. Moi non plus, je ne voudrais pas que tu sois loin en ce moment. En fait… je voudrais que tu ne sois jamais loin de moi.

David me serre contre lui. Je me redresse, j'ai besoin de lui parler d'autre chose.

— À propos de notre chambre, pour cette nuit…

— Ça te met mal à l'aise ?

— Non, c'est que… enfin, oui, j'ai peur que tu veuilles…

— Je ne veux rien du tout, Lucie, juste relaxer un peu.

— Mais… on va être dans le même lit, collés l'un à l'autre, alors forcément…

— Forcément quoi ? Tu t'imagines que je vais te sauter dessus, ou quoi ?

— Non, c'est juste que…

— Tu ne te sens pas prête à ce que notre relation aille plus loin pour le moment.

Je hoche la tête. David a l'art de composer les phrases qui restent bloquées dans ma bouche.

Il me prend la main, conciliant.

— Tu sais, j'ai beau avoir vingt et un ans, je ne l'ai jamais fait, moi non plus.

Je suis abasourdie. Moi qui croyais que c'était un passage obligé à l'adolescence !

— T'as… T'as jamais fait l'amour ?

David hausse les épaules.

— Ben non ! Et alors ?

— Heu… rien, c'est juste que je croyais que…

120

— C'est peut-être niaiseux comme point de vue, mais j'ai toujours eu l'impression qu'il fallait attendre la bonne personne avant de se lancer ! Juste pour être en confiance... Ça me semble plus facile comme ça.

— Ah... tu attends de trouver la bonne personne, dis-je, embarrassée. Je comprends...

— Cette personne, je l'ai trouvée ! affirme-t-il en me fixant. Mais ce n'est pas parce qu'elle et moi allons partager le même lit que ça doit forcément se passer là ! On peut juste attendre d'être prêts tous les deux, non ?

Cette fois, c'est moi qui me blottis contre lui, trop contente que les choses soient si faciles quand il est là.

▲ ▼ ▲

Un peu plus tard dans la soirée, je sors de la douche et je vais m'asseoir quelques instants dans le salon le temps que mes cheveux sèchent.

Simon est assis à la table de cuisine. Plusieurs livres sont ouverts devant lui. Comme d'habitude, il a le nez dans le projet de ma mère et une pile de notes sont dispersées sur la table.

— Toujours en train de décortiquer vos formules ?

Simon ne redresse pas la tête.

— Je sais que vous ne croyez pas à ma façon de faire. Vous feriez mieux d'aller vous coucher.

— D'où sortez-vous tous ces livres ? dis-je en examinant quelques volumes.

— Je suis passé dans une librairie cet après-midi.

— Écoutez, Simon, je n'ai rien contre votre façon de faire, mais le temps presse et vous avez déjà passé des heures dans ce dossier, sans résultat. Vous aussi, vous devriez aller vous coucher !

— Si seulement nous avions accès au dossier d'Énertech. Je suis certain que c'est à ça que Catherine fait référence dans sa note : *En résonance, au nord changeant, d'infimes vagues de courant s'imbriqueront et...* Le terme résonance n'est pas là pour rien et le *et* sous-entend une suite.

— J'ai essayé tout ce que je pouvais comme mot de passe. J'ai bien peur que sans la participation de Wahlberg, nous ne puissions trouver la combinaison nécessaire à l'ouverture du fichier. Edmund aurait dû être là pour nous aider, mais il a changé de camp. Ma mère n'avait pas prévu ce revirement de situation. Nous tenons quand même la piste qu'a suggérée Baptiste. Ils sont probablement à Grise Fiord.

— Et qu'arrivera-t-il s'ils n'y sont pas ? Cette communauté n'était peut-être qu'une étape par laquelle ils sont passés, on n'en sait rien !

— Vous avez dit vous-même qu'ils avaient besoin d'une source d'énergie pour faire fonctionner leur système. Cette communauté est l'endroit idéal, pourquoi iraient-ils voir ailleurs ?

Simon mordille son crayon.

— Je ne sais pas, une intuition…

— Laissez faire les intuitions !

— Cette référence : *le nord changeant*. Bien que je ne la saisisse pas, elle implique une idée de déplacement.

— Seigneur, dis-je en me levant d'un bond. Arrêtez de vous casser la tête avec ce bout de phrase qui ne veut rien dire, c'est fatigant à la fin ! On a un long voyage à faire demain. Je monte me coucher, vous devriez en faire autant.

— Je le sais, Lucie. Je veux juste être certain de ne pas faire d'erreurs et de n'omettre aucun détail. Dans notre situation, nous ne pouvons pas nous permettre d'échouer.

▲ ▼ ▲

Je me réveille en sursaut. J'ai fait un drôle de rêve. Je voyais ma mère au milieu de nulle part. Elle faisait face à un immense brasier et le regardait d'un air satisfait. Je lui parlais, je crois que je lui demandais de l'éteindre, mais elle ne m'écoutait pas.

Je suis prête dès sept heures. J'avoue avoir dormi comme une marmotte. Collée contre David, dans ce magnifique endroit particulièrement calme, il ne m'en fallait pas plus pour sombrer dans un sommeil très profond. Et ce matin, je suis la dernière debout.

Quand j'arrive dans le grand espace du rez-de-chaussée, mon père et David déjeunent tandis que Simon visite l'hélicoptère de Maude. Je ne peux m'empêcher d'aller y faire un tour également.

Maude est en train d'embarquer le matériel dans la soute à bagages.

— Première fois en hélicoptère, Lucie ? demande Maude.

— Mmmm, dis-je en me frottant les yeux.

— En tout cas, on sera mieux que dans une limousine, affirme Simon en sortant de la cabine.

— Quelque chose contre les limousines ? interroge mon père de la table à dîner.

Je fais signe à Simon de laisser faire, c'est juste une niaiserie de mon père, que je suis d'ailleurs contente d'entendre plaisanter.

Je passe la tête dans la cabine pour les passagers. J'avoue que je m'attendais à des sièges en métal et en plastique, à des parois en tôle, bref, le genre d'engin militaire où le confort n'est pas une priorité. Je me suis trompée du tout au tout.

L'intérieur du EC 145 est presque plus accueillant que le salon de Maude. Deux rangées de trois sièges en cuir beige se font face. Au milieu se trouve une petite table escamotable. Une belle moquette sur le sol s'harmonise avec les tons de la cabine et plusieurs boiseries ornent luxueusement les parois.

— Je croyais que c'était un appareil militaire, dis-je à mon amie.

— Ce l'était. Il servait au déplacement de personnes influentes dans le pays. D'où son look un peu tape-à-l'œil. Personnellement, j'aurais bien pris le modèle avec la finition tôle et mélamine, mais ils ne l'avaient pas. Tel quel, il ne convient pas encore vraiment à mes besoins… Un peu trop luxueux à mon goût… Va falloir que je le modifie un peu… J'ai déjà ajouté un treuil…

J'observe mon amie embarquer les gros sacs de matériel.

— Pourquoi fais-tu tout ça, Maude ? Personne ne t'oblige à prendre des risques pour nous aider.

— C'est normal de donner un coup de main à des amis, non ?

— Gros coup de main tout de même !

Maude continue à disposer les vivres dans la soute, un petit sourire aux lèvres. Subitement, j'ai l'impression de comprendre qu'il y a autre chose que Maude n'ose pas me dire.

— Arlène... Tu veux revoir ma tante Arlène, c'est ça ! Elle est fort probablement avec ma mère.

Maude hausse les épaules.

— Hé, on ne peut rien te cacher, à toi !

— Pas besoin de le cacher, il n'y a pas de mal !

— Tu sais, notre relation n'a pas toujours plu à tout le monde. J'ai gardé une certaine méfiance, désolée.

— Pas besoin d'être méfiante avec moi, Maude. Tu es une de mes meilleures amies, on n'a pas besoin de se faire de secrets.

— Meilleures amies... répète Maude, songeuse. Mieux vaut ne pas trop être amie avec moi.

— Qu'est-ce que tu veux dire ? dis-je, offusquée.

— Avec tout ce que j'ai fait de pas très correct jusqu'ici comme boulot, je suis mieux de ne pas trop m'attacher. Dans ma situation, il faut être prêt à tout perdre en quelques minutes, c'est le prix de la liberté. À tout moment, Arlène et moi savons que nous sommes susceptibles de devoir nous séparer pour des périodes très longues. C'est valable avec toi aussi. C'est

ainsi que ça fonctionne. Alors être une « meilleure amie »…
Je ne suis peut-être pas la candidate idéale.

— Mais on ne peut pas vivre toujours ainsi ! dis-je,
attristée. Me semble qu'à un moment, on doit avoir envie
d'une relation plus stable, non ? Moi, je ne serais pas capable
de me séparer de David ainsi !

— Disons qu'il faut parfois mettre de côté ce qu'on désire.

Les déclarations de Maude me désolent un peu. Mon amie,
qui me paraissait libre de faire ce qu'elle voulait de sa vie, ne
l'est peut-être pas autant qu'elle le paraît. C'est comme si sa
liberté se nuisait à elle-même.

Mon père nous rejoint. Il tend quelques CD à Maude.

— C'est possible d'écouter de la musique dans ton engin ?

— Bien sûr ! T'as apporté tes disques préférés ?

— Ce n'est pas à moi, je les ai pris chez Wahlberg. On a
les mêmes goûts musicaux, autant en profiter.

Je suis estomaquée.

— Tu as volé ces CD dans la chambre d'Edmund Wahlberg ?

— Petite revanche personnelle.

Mon père me fait presque pouffer de rire avec son attitude.

— C'est bébé !

— Quoi ?

— Voler les CD de Wahlberg, c'est ça ton plan de revanche ?
C'est bébé ! Complètement ridicule !

Mon père se rend compte, tout à coup, que son idée n'était
pas très réfléchie. Il bafouille.

— Oui, eh bien… sur le coup… et puis, il y avait cette photo… je ne sais pas, j'avais besoin de lui prendre quelque chose à mon tour.

Mon père nous tourne le dos et va se rasseoir, bougonneux.

Je ressens tout à coup un courant d'air froid dans mon dos. Je me retourne. Quelqu'un est en train d'ouvrir la grande porte de la grange. Inquiète, je le signale à Maude.

— Pas de troubles, c'est monsieur Cousineau qui vient nous aider à sortir l'hélicoptère.

La porte ouverte, le froid s'engouffre dans toute la grange. L'agriculteur nous salue d'un geste avant d'accrocher le EC 145 à son tracteur afin de le tirer hors du bâtiment.

Le départ est proche. Je termine de m'habiller et attrape quelques croissants au passage. Je mets mon sac patchwork, qui contient mon ordinateur, dans la cabine du EC 145. David et Simon sont en train de charger plusieurs grosses glacières remplies de vivres. Maude est aux commandes pour faire les vérifications d'usage.

Je vais chercher mon père assis à la table.

— Es-tu prêt ?

Il soupire.

— Va bien falloir.

— T'as pas l'air bien ! C'est à cause de ce que je t'ai dit tout à l'heure ?

— Rien à voir, dit-il en balayant ma question d'un geste de la main. J'ai peur de ce qui nous attend au bout du chemin, Lucie. J'espérais, après avoir retrouvé ta mère, que nous pourrions reformer une famille normale. Aujourd'hui, je ne suis plus sûr de rien. C'est bien parce qu'on est probablement les seuls à pouvoir faire quelque chose pour le Québec, mais si ça ne tenait qu'à moi, je ne crois pas que je ferais le déplacement.

Chapitre 8

C'est d'un air maussade que j'observe le magnifique paysage québécois qui défile sous nos pieds. Dire que par mon incompétence à protéger le projet de ma mère, tout ceci est menacé. Qui plus est, ma meilleure amie et sa famille vont se retrouver au cœur même de la catastrophe que risque de créer Atmospheric Energies à cause de moi. Difficile de rester les bras croisés. À la grande surprise de Simon, je passe une bonne partie de la matinée à pianoter sur mon ordinateur pour essayer de trouver ce fichu mot de passe qui protège les travaux de ma mère. Plus le temps passe, plus je désespère.

Je finis par refermer rageusement mon ordinateur.

— Toujours rien ? me demande le journaliste.

Je fais une moue négative.

En fin de matinée, Maude ravitaille l'hélicoptère dans le petit aéroport de la municipalité de Mistissini, un village cri localisé au sud-est du lac Mistassini. D'après elle, en ravitaillant sans nous attarder, dans des régions aussi éloignées, nous ne risquons pas vraiment d'être reconnus. Les informations venant de villes comme Montréal ou Québec sont loin d'être une priorité pour les communautés amérindiennes comme celle-ci. D'ailleurs, nous ne passons pas plus d'une heure sur place avant de reprendre notre vol.

Je ne me lasse pas de contempler les vastes forêts qui s'étendent à perte de vue, parsemées de lacs blancs couverts de glace. Maude, qui jouit du paysage autant que nous, vole de temps à autre à plus basse altitude pour nous permettre d'admirer la province comme on la voit rarement. Après le premier ravitaillement, voyant mon humeur maussade, Maude m'a invitée à venir m'asseoir à côté d'elle dans le poste de pilotage.

J'admire la facilité avec laquelle elle maîtrise son énorme engin. Le poste de pilotage est un étalage ahurissant de petits boutons, de cadrans et d'écrans.

— Tu t'y retrouves vraiment dans tout ça ?

— Ce n'est pas tellement plus compliqué qu'une voiture une fois qu'on est habitué.

— Le tableau de bord est quand même assez complet ! dis-je ironiquement.

Mon père, du fond de la cabine, demande si Maude peut mettre un peu de musique. Mon amie obtempère et lance la lecture d'un des CD que mon père a pris chez les Wahlberg.

— Ce que tu m'as dit tout à l'heure à propos d'Arlène et toi… je ne comprends pas !

— Qu'est-ce que tu veux dire ?

— Si vous êtes bien ensemble, comment pouvez-vous vivre séparées ? Je sais, tu vas me parler de ta liberté, mais à quoi elle te sert si tu n'es pas avec la personne que tu aimes ?

— Il y a de cela plusieurs années, Arlène et moi vivions ensemble. Le jour où elle s'est fait pincer pour le vol de diamants à Montréal, je l'ai perdue pour neuf années. Je savais que je ne pourrais pas aller la voir pendant tout ce temps sans risquer de brûler ma couverture. Neuf années, c'est très long quand on a été habituée à partager sa vie avec quelqu'un. À sa libération, Arlène et moi avons pris le parti de vivre séparément, malgré nos sentiments réciproques. Juste pour s'habituer à être indépendantes et à savoir se passer plus facilement de l'autre si une telle situation se reproduisait.

Les déclarations de Maude me laissent quelque peu dubitative.

— Et tu es capable de vivre comme ça ?

Pas de réponse. Maude regarde droit devant elle. Pas difficile de se rendre compte qu'elle trouve cette situation pénible.

— As-tu déjà parlé à Arlène de ton projet d'ONG spécialisée dans le déminage ?

— Non, pas vraiment, pourquoi ?

— Tu pourrais essayer de l'enrôler. Je suppose qu'il va te falloir du personnel.

Maude rigole.

— Hou là là, non, je ne crois pas que ce soit le genre d'Arlène.

— Qu'est-ce qui te fait dire ça ?

131

— Je… je ne sais pas, une intuition.

— Je sais que je ne connais pas encore très bien ma tante, mais pour l'avoir côtoyée un peu, je sais qu'elle aime l'action, se lancer des défis et aider les gens. Désolée de te contredire, mais moi j'ai l'impression que ça pourrait lui plaire.

— Et après ? On se remet à vivre ensemble ? Et si on nous tombe dessus ?

— Tu vis avec la hantise qu'on vous démasque et que tu aies à revivre ce que tu as déjà vécu…

— C'est légitime, non ?

— Oui, mais tu tournes en rond ! Ce n'est tout de même pas dans le centre-ville de Montréal que vous allez faire du déminage. Vous allez travailler dans des pays éloignés, en état de guerre, et vous êtes toutes les deux aptes à vous forger de nouvelles identités. Il y a quand même peu de chances qu'on vous retrouve là-bas ! En fait, cette idée d'ONG est probablement la meilleure planque que tu puisses offrir à Arlène.

Maude ne dit rien. Elle réfléchit, puis esquisse un petit sourire du bord des lèvres.

— Tu veux que je te dise : je trouve cette chanson idiote !

— Hein ? De quoi tu parles ? dis-je, surprise par son propos hors contexte.

— Cette chanson sur le CD de ton père : *Owner of a lonely heart, much better than a broken heart* ! La personne qui a un cœur solitaire n'est pas nécessairement mieux que celle qui a un cœur brisé, selon moi. J'ai essayé les deux ! dit Maude en rigolant.

J'ai subitement l'impression d'avoir déjà entendu cette phrase-là quelque part.

— *Un cœur solitaire est bien mieux qu'un cœur brisé*! C'est la première fois que tu entends cette phrase? dis-je à mon amie.

— Oui, sinon, je m'en serais souvenue… c'est ridicule!

Je me tourne vers mon père.

— T'écoutais souvent ce disque à la maison?

— Jamais, je ne l'avais pas, ce n'est pas pour rien que je l'ai piqué à Wahlberg.

Tout à coup, ça me revient.

— C'est le père d'Edmund Wahlberg qui a dit que son fils avait une sorte de dicton! C'était ça : *un cœur solitaire est toujours mieux qu'un cœur brisé*! C'est quoi le titre de la chanson?

— *Owner of a Lonely Heart*, clame fièrement mon père, heureux que je m'intéresse à sa musique.

Mince! Trop long pour que Wahlberg ait pu utiliser le titre de son morceau préféré comme mot de passe.

— Tu parles d'un titre! pouffe Maude. Vraiment niaiseux!

— Hé, te moque pas du plus gros succès de Yes! proteste mon père.

Yes… Y. E. S… Trois lettres.

Je me transforme instantanément en une créature hystérique. Je fouille partout : à mes pieds, dans les compartiments de rangement, sous le siège. Maude se demande ce qui m'arrive.

— Ça ne va pas, Lucie?

— La boîte, où est la boîte du CD?

— Juste là !

Maude me tend le petit boîtier carré.

J'observe la pochette avec attention. À première vue, il n'y a que le nom du groupe en en-tête, et une espèce de logo en trois couleurs. Où est le titre de l'album ?

Finalement je trouve, en tout petit, dans la partie bleue du logo, un nombre : « 90125 ». Cinq chiffres.

Je me tourne une fois de plus vers mon père.

— C'est le nom de l'album, ça ?

— Bien sûr, le groupe ne trouvait pas de nom pour ce disque, alors ils ont décidé de prendre tout bêtement le nombre qui se trouverait sur le code barre de la version vinyle du…

— Simon, passez-moi mon ordinateur s'il vous plaît, dis-je, tremblante d'excitation.

— Vous n'avez pas l'air d'aller bien, remarque le journaliste en relevant la tête du projet Tesla dans lequel il était toujours plongé et en attrapant mon portable.

— Au contraire, je n'ai jamais été aussi bien !

J'attrape mon ordi et l'allume. En quelques secondes, je me retrouve devant le message qui demande le mot de passe à l'ouverture du dossier de ma mère.

Je tape fébrilement : YES – 90125

Une seconde… Deux secondes…

Je ne peux pas m'empêcher d'éclater de joie. Le fichier vient de s'ouvrir.

— Ouiiiiiiiiiiiiiiiiiiiiii ! Je l'ai !

Tous les autres sursautent dans leur siège.

— Qu'est-ce qui se passe ? demande Maude.

— Simon, le dossier… Je viens de l'ouvrir !

Le journaliste s'approche aussitôt et s'appuie sur mon dossier.

Nous avons devant les yeux près de quatre cents pages de physique qui, pour moi, sont aussi lisibles que du mandarin, mais qui, pour Simon, sont de la véritable poésie.

— Vous permettez ? demande le journaliste en me priant de lui remettre mon ordinateur.

— Vous n'allez pas m'effacer mon disque dur ?

— Je vais essayer.

Je lui montre comment se servir du programme qui permet de lire le dossier afin d'être certaine qu'il ne commettra pas de fausse manœuvre.

Simon se plonge immédiatement dans la lecture de cette nouvelle étude qui porte sur la résonance de Schumann. David et mon père, penchés sur l'ordinateur, ne semblent rien comprendre à ce qu'ils voient.

— T'es sûre que ça va aider, Lucie ? s'inquiète mon père.

— C'est à Simon qu'il faut le demander.

— Donnez-moi un peu de temps, marmonne le journaliste, concentré.

Le reste de l'après-midi se passe dans le plus grand silence. C'est comme si personne ne voulait déranger Simon pendant qu'il travaille.

Vers seize heures, nous faisons un nouvel arrêt pour le ravitaillement dans une petite communauté inuite du nom de Kuujjuarapik, sur les côtes de la baie d'Hudson. Il fait nuit noire quand nous arrivons. D'après Maude, dès demain nous

135

serons plongés dans l'hiver boréal. Dans les régions que nous allons survoler, il fait nuit pendant toute une partie de l'année.

Nous profitons de l'arrêt pour nous dégourdir les jambes et prendre l'air quelques instants. Le froid est tel que nous ne nous éternisons pas dehors.

Simon, qui est resté dans la cabine, me fait signe de venir le rejoindre.

— Quoi, vous avez fait une fausse manœuvre, l'ordi est gelé ?

— J'ai lu en diagonale le document. Il s'agit, comme nous le pensions, d'une étude approfondie sur l'effet Schumann et de résultats de tests qu'ont effectués Catherine et Wahlberg.

— Et c'est supposé nous aider ?

— Disons que ça confirme, une fois de plus, mes suppositions. Mais regardez plutôt ce qui se trouvait à la fin du document, remarque le journaliste en pointant une phrase.

… comme des tissus usés, formeront une nouvelle mosaïque climatique pour un avenir plus clément.

— Vous pensez que c'est la suite de la phrase ?

— Qu'est-ce que vous voulez que ce soit d'autre ? On obtient maintenant une phrase complète : *En résonance, au nord changeant, d'infimes vagues de courant s'imbriqueront et, comme des tissus usés, formeront une nouvelle mosaïque climatique pour un avenir plus clément.*

— Vous voulez me faire croire que ça va nous permettre de retrouver ma mère ?

— Cette phrase ne vous dit rien du tout ? demande Simon, désespéré.

136

— Non, pourquoi, elle devrait ?

— Cette énigme vous était probablement destinée. Je pensais que votre mère aurait pu vous l'inculquer quand vous étiez plus jeune ou qu'elle vous aurait laissé des indices pour la décrypter…

— Simon, sortez donc de votre personnage de Sherlock Holmes, et voyez les choses en face : cette phrase ne signifie rien du tout. Elle est, tout au plus, le morceau d'une poésie que ma mère ou ce Wahlberg ont dénichée Dieu sait où et qu'ils ont ajoutée à leur projet pour faire bien ! Concentrez-vous sur les formules, les données, c'est là que doit être la solution !

Le journaliste se gratte la tête.

— Vous ne me convainquez pas, Lucie… Cette phrase, c'est autre chose…

— Rendez-moi mon ordinateur et faites une pause de réflexion. Vous en avez besoin !

— Qu'est-ce que vous voulez dire ?

— Chaque fois que je vous regarde, vous avez le nez plongé dans ces dossiers. Ce n'est plus possible d'y voir clair. Arrêtez-vous un peu et reposez-vous.

Simon s'étire.

— Vous avez peut-être raison.

— Et en passant, bravo ! Ça fait deux heures que vous manipulez mon ordi et vous n'avez rien brisé.

Simon se rend compte qu'effectivement, il est parvenu à se débrouiller avec les bases de l'informatique. Il en est tout content.

Il me tend mon portable. Je l'éteins, attrape mon sac qui est sous le siège puis glisse l'appareil à l'intérieur alors que Maude vient frapper à la vitre de l'hélico en nous prévenant que nous allons décoller. Je décide de rester dans la cabine pour le moment. C'est mon père qui prend ma place de copilote.

Au moment où je m'apprête à attacher ma ceinture et que Maude monte à bord, je sursaute en voyant le visage blême de Simon.

— Mon Dieu, qu'est-ce que vous avez ?

David a l'air inquiet, lui aussi.

— On dirait que vous venez d'avoir une vision…

Simon ne répond pas. Il tend la main fébrilement en montrant mon sac.

— Oui, je sais, il n'est pas très beau, c'est ma mère qui l'a cousu elle-même. Elle ne pouvait pas être douée dans tous les domaines ! Ce n'est pas une raison pour vous mettre dans un état pareil !

— Les… les tissus…

— Quoi, les tissus ? Les couleurs ne sont pas géniales ? C'est un peu le principe du patchwork, on raboute tout un tas de tissus usés pour en faire un nouveau motif coloré. Dites, vous allez vous en remettre ?

— Lucie, réfléchissez…

Simon ne dit rien, il reste de glace en me regardant. J'essaye de comprendre ce qui ne va pas… et puis tout à coup, je repense à ce que je viens de dire et je me fige à mon tour :

tout un tas de tissus usés pour en faire un nouveau motif coloré...
une nouvelle mosaïque.

Je baragouine à mon tour.

— Non... vous... vous ne pensez tout de même pas que...

Simon empoigne le sac et le vide de son contenu sur la banquette.

— *En résonance, au nord changeant, d'infimes vagues de courant s'imbriqueront et*, « comme des tissus usés, formeront une nouvelle mosaïque » *climatique pour un avenir plus clément.* N'essayez pas de me faire croire que c'est une coïncidence, Lucie. Ce sac vous a été offert par votre mère !

Le journaliste retourne mon sac dans tous les sens, vérifie les coutures, les poches, la doublure, les carrés de patchwork.

— Si au moins nous savions ce que nous cherchons, dis-je, en observant de près son manège.

Il me regarde comme s'il allait faire quelque chose de mal.

— Quoi ?

— Désolé...

Simon saisit mon sac et arrache d'un coup sec tout le panneau avant, qui est constitué de plusieurs carrés de tissu.

Son geste me surprend. C'est comme s'il venait de m'arracher une partie de moi-même. Ce sac, c'est tout ce qu'il me restait de ma mère.

— Mais qu'est-ce que...

Simon regarde l'envers du carré qu'il vient d'arracher, un sourire mur à mur, l'air pleinement satisfait, puis le retourne vers moi.

— C'est ça qu'on cherche, Lucie !

Je découvre alors qu'au dos de cette mosaïque de petits carrés de couleur qu'avait cousus ma mère sur le sac il y a un peu plus de trois ans, juste avant sa disparition, se retrouve une multitude de chiffres et de lettres : 82°18'04.15"N - 113°23'45.15"O.

— Qu'est-ce que...

— Des coordonnées géographiques. Depuis toutes ces années, Lucie, vous trimbalez la position exacte de votre mère avec vous sans le savoir. Catherine savait précisément ce qu'elle faisait en vous laissant ce sac avant sa disparition.

Je m'enfonce dans mon siège.

Je n'arrive pas à y croire. Depuis tout ce temps que je cherche ma mère, j'avais la réponse sur moi. Elle savait que je ne me séparerais pas de son dernier cadeau.

Simon se tourne immédiatement vers Maude.

— Vous avez une carte du coin où nous allons ?

— Bien sûr ! répond mon amie en lui tendant une carte particulièrement précise du Grand Nord canadien. Mais si j'étais vous, j'utiliserais ceci !

Maude pointe l'écran GPS de son tableau de bord.

— Plus rapide et plus précis !

Simon fait la moue. Il montre les coordonnées que nous venons de découvrir. Maude les tape en quelques secondes sur son clavier.

Le point que nous obtenons tombe malheureusement en plein dans l'océan Arctique, à plusieurs centaines de kilomètres des côtes les plus proches.

Maude refait une tentative, croyant avoir fait une erreur : même résultat.

— On dirait qu'il y a une faute quelque part, dis-je, attristée. Ils ne peuvent pas être là, il n'y a pas de signe de vie à des centaines de kilomètres à la ronde, et donc pas de source d'énergie. Que feraient-ils en plein milieu de l'eau ?

Simon se frappe sur le front comme s'il venait d'avoir l'idée du siècle.

— Mais non, il n'y a pas de faute, c'est évident ! C'est le *nord changeant* !

— Que voulez-vous dire ? demande Maude.

— J'aurais dû y penser plus tôt ! Ce sont les coordonnées du pôle Nord magnétique !

— Mais le pôle Nord n'est pas là !

— Pas le pôle géographique, déterminé par l'axe de rotation de la Terre, le pôle magnétique, vers lequel pointe l'aiguille d'une boussole. À l'inverse du pôle géographique, ce pôle se déplace de quelques kilomètres chaque année, il est mobile !

— Mais ils ne peuvent pas être là, vous avez dit vous-même qu'ils devaient avoir une source d'énergie suffisante pour utiliser leurs appareils !

— Effectivement. Par contre, en nous donnant ces coordonnées, Catherine nous indique clairement qu'ils sont à proximité de ce point.

— Je serais d'avis de chercher les lieux d'habitation les plus proches de ces coordonnées, suggère Maude en pianotant sur son GPS.

— Vous pouvez trouver ça ? interroge Simon, curieux.

— C'est déjà fait ! annonce notre pilote. Et devinez quel est l'endroit habité le plus proche du pôle Nord magnétique ?…

Chapitre 9

Hier, en fin de journée, grâce aux coordonnées géographiques qu'avait laissées ma mère sur mon sac, nous avons eu la confirmation qu'elle et son équipe devaient se trouver à l'embouchure du fjord Grise, dans la communauté inuite du même nom. Cette nouvelle nous a tous requinqués, et ce qui nous reste de trajet nous paraît moins long.

Tard dans la soirée, nous sommes arrivés à Ivujivik, autre minuscule village inuit de trois cents âmes situé sur la côte du détroit d'Hudson. Nous avons fait le plein et nous sommes repartis presque aussitôt.

Une heure plus tard, nous étions posés au beau milieu de nulle part, toujours sur les côtes de cette baie, pour quelques heures de repos. Maude a pris soin d'atterrir entre deux vallons afin d'éviter les vents glacés de la côte. Il n'était pas question de s'inviter chez les habitants d'Ivujivik. Maude estimait que notre présence, peu commune, aurait pu attirer l'attention trop dangereusement. Elle préfère que nous soyons arrivés avant de prendre nos aises.

La nuit n'a pas été très reposante. Le EC 145 a beau être un appareil confortable pour le vol, il l'est un peu moins transformé en hôtel au milieu de la banquise. David et moi étions coincés l'un contre l'autre sur une des banquettes, mon père et Simon sur l'autre et Maude plus ou moins étendue à l'avant sur les deux sièges du poste de pilotage. Vers six heures, comme j'étais la seule à dormir encore, David m'a réveillée d'une douce caresse qui m'a fait frissonner. Je me suis blottie contre lui encore quelques instants avant d'émerger complètement. En me réveillant, j'ai tout de suite constaté que David n'avait toujours pas dormi. Il avait les yeux cernés et semblait toujours aussi tracassé. J'ai eu beau lui susurrer des mots doux à l'oreille pour le rassurer et lui rappeler que nous étions sur la bonne voie, je pense qu'il ne retrouvera le sommeil qu'une fois cette affaire terminée.

Après un déjeuner frugal puisé à même nos provisions, nous avons été autorisés à sortir afin de récupérer de la neige, que nous avons fait fondre sur un petit réchaud pour nos besoins de base.

Au cours de la matinée, nous avons survolé l'île de Baffin, qu'il nous fallait traverser pour arriver à Pangnirtung, une de nos étapes de ravitaillement. C'est un autre petit village autochtone perdu au milieu de nulle part où, comme à tous nos autres arrêts, nous avons fait croire que nous étions en route pour retrouver une expédition scientifique dans le Grand Nord canadien. Ce qui n'est pas tout à fait faux.

Notre dernier ravitaillement s'est fait dans le milieu de l'après-midi sur l'île Igloolik. Il ne nous reste que deux ou trois heures de vol avant d'arriver.

À peine repartis, Simon me demande mon ordinateur pour continuer à creuser le dossier que nous avons déverrouillé hier. Je le regarde en faisant la moue.

— Quoi ? Qu'est-ce que j'ai dit ? demande le journaliste.

— Vous venez de me demander mon ordinateur !

— Et alors ?

— Plutôt étonnant venant de vous, dis-je en sortant la machine.

— J'ai besoin d'approfondir ce dossier.

— Mais Simon, c'est correct, on sait où elle se trouve, pas besoin de continuer à vous casser la tête.

— C'est que… j'aimerais comprendre un dernier point : votre mère parle, dans sa phrase, *d'infimes vagues de courant*. Pour moi, *infimes* n'a rien à faire là. D'après ce que j'ai lu sommairement hier, on peut envoyer n'importe quelle charge électrique entre la Terre et l'ionosphère, cet espace va entrer en résonance malgré tout ! Alors, pourquoi *infimes* ?

Je vais m'asseoir entre mon amoureux et le journaliste, bien décidée à lui changer les idées… et en même temps, à profiter de la douce présence de David, dont je suis de moins en moins capable de me passer.

— Écoutez, Simon, vous aviez raison et j'avais tort, la phrase était importante et vous l'avez prouvé hier. Il serait peut-être temps maintenant de passer à la prochaine étape.

— Je voudrais être sûr de ne pas me tromper. Et puis, qu'est-ce que vous voulez que je fasse d'autre ?

Je place mon ordinateur sur mes genoux et l'allume.

— Hier, vous avez travaillé une partie de l'après-midi sur mon ordi, sans broncher et sans même le faire *jammer*. Votre histoire de karma ne tient plus la route.

— Où voulez-vous en venir ?

— Je veux vous montrer comment fonctionne un ordinateur et ce qu'il faut faire pour alimenter un blogue en informations.

— Non, sincèrement, ce n'est pas une bonne idée…

— Qu'est-ce que ça vous coûte ? Et puis, ça vous changera un peu des dossiers de ma mère !

Simon hausse les épaules. Il n'a pas tellement le choix.

Je passe donc une bonne partie de mon temps avec le journaliste pour lui apprendre les rudiments de l'informatique. J'ai un peu l'impression de prêcher devant un mur. Je ne sais pas si ce que je suis en train de lui montrer servira à le convaincre, mais nous n'avons pas grand-chose d'autre pour nous occuper.

Simon prend tout de même quelques notes, probablement pour me donner l'impression d'être utile. Même si je n'ai aucune connexion Internet à bord de l'hélicoptère, je peux tout de même lui montrer sommairement comment ça fonctionne grâce aux pages Web qui sont enregistrées sur mon ordinateur.

— Lucie, c'est gentil, mais sincèrement, vous me voyez tripatouiller là-dedans ?

— Et pourquoi pas ? Les nouvelles technologies ne sont pas là uniquement pour les gens de ma génération ! Et puis, si vous voulez continuer à exercer ce boulot pour lequel vous êtes doué, va bien falloir vous y mettre.

— Je ne sais pas… bredouille Simon, peu convaincu.

— Je pense que nous en avons assez fait pour la journée, dis-je, un peu dépitée par les propos du journaliste.

Je range mes affaires, impatiente d'arriver. Je vais cette fois m'asseoir à côté de mon père.

Celui-ci a toujours le regard dans le vague. Il est profondément enfoui dans ses pensées en scrutant la pénombre par le hublot.

— Tout un paysage, dis-je à mon père sur un ton de blague.

— On ne voit rien, Lucie, c'est la nuit boréale.

— Je sais, papa ! Je plaisantais !

— Ah.

— Comment tu te sens ?

— Fatigué. Je ne sais plus à quoi m'en tenir… Je t'avoue que j'ai un peu peur de ce qui nous attend. C'est comme si j'allais simplement chercher la confirmation qu'entre ta mère et moi, c'est bien terminé.

— Tu n'as pas hâte de la retrouver ?

— Au fond de moi, oui, bien sûr, mais je crains ce qu'elle va me dire.

— Et si tu te faisais des idées ? Wahlberg ne travaille même plus pour elle !

— Je ne sais pas comment je vais réagir si elle m'avoue qu'il s'est passé quelque chose entre eux deux. Je n'ai jamais vécu une telle situation. Est-ce qu'on devrait tout de même continuer de vivre ensemble ? Est-ce que ce sera possible ?

— Mais si tu te réjouis de la retrouver, c'est, je suppose, que tu es encore amoureux, non ?

— Oui, évidemment, et c'est bien ça qui rend la chose difficile ! Tu crois que j'aurais autant de misère si je ne ressentais plus rien pour Catherine ? J'aimerais que tout redevienne comme avant, comme au début, mais rien ne laisse présager que ce sera possible.

— On devrait bientôt être en vue de Grise Fiord, lance Maude de sa cabine de pilotage.

Je demande l'autorisation à notre pilote de venir m'asseoir à côté d'elle en escaladant le siège arrière. J'ai vraiment trop hâte.

Évidemment, même en étant collée à la vitre, je ne vois pas grand-chose.

— Comment tu fais pour distinguer quelque chose là-dedans ? dis-je à Maude.

— C'est à ça que me servent les instruments de navigation ! Il n'est pas impératif de voir ce que j'ai devant moi… enfin, sauf en cas de congestion ! plaisante mon amie.

— On est à quelle distance du village ?

— Une quarantaine de kilomètres. Il se trouve sur la rive nord du fjord que nous survolons pour le moment.

— Vous serait-il possible de survoler le site avant de poser l'appareil ? demande Simon, en arrière. Je voudrais voir comment ils sont installés.

— C'est à peu près inutile, il fait nuit, lance Maude, et puis je commence à être un peu juste en carburant. Mais je vais faire mon possible.

Quelques minutes plus tard, nous sommes au-dessus d'un village autochtone tout éclairé. Maude fait un tour de reconnaissance. Le village est comme une oasis de lumière au milieu d'un désert de noirceur. Les éclairages chauds émanant du petit groupe de maisons et des lampadaires publics confirment qu'ici, loin de tout, la civilisation est bien présente. La faible lumière ne permet pas pour autant de bien voir au-delà du village. Maude se limite donc à un survol rapide de la communauté.

Nous posons notre massif hélicoptère juste à côté de la piste d'atterrissage. La plupart de ces villages éloignés doivent absolument avoir une piste d'atterrissage. L'avion est bien souvent leur seul moyen de communication pendant l'hiver.

La communauté de Grise Fiord est située juste sur le bord de l'eau. Derrière le village qui ne compte pas plus de cent cinquante habitants se dressent d'impressionnantes falaises qui, pour le moment, sont complètement enneigées. Vu du sol, le village est plus éclairé qu'il ne le paraissait des airs. Une certaine vie semble l'animer malgré la nuit permanente.

Nous sortons, emmitouflés dans nos grosses combinaisons d'hiver. Il fait vraiment très froid. Dans un premier temps, nous n'apercevons pas âme qui vive. Nous sommes à quelques centaines de mètres du village. C'est à croire que personne ne nous a vus arriver. Maude et Simon jettent un œil aux alentours pendant que mon père et David terminent de s'habiller dans la cabine.

Simon fait une drôle de tête. Il a l'air inquiet.

— Que se passe-t-il ? dis-je, étonnée par son attitude.

— Rien, juste une appréhension…

— Je ne m'attendais pas à un accueil avec des colliers de fleurs, admet Maude, mais tout de même, ici, c'est vraiment très calme.

Enfin, nous voyons arriver un gros *pick-up* qui se dirige vers nous en soulevant la neige poudreuse sur la route de l'aéroport.

Simon se déplace vers Maude.

— Laissez-moi jouer le jeu du journaliste qui enquête sur la disparition du bateau, c'est notre meilleure carte.

— Si vous voulez…

Un homme aux traits inuits prononcés débarque du gros véhicule, sourire aux lèvres, en nous tendant la main.

— *Hi, I'm Pewatook.* Je m'appelle Pewatook, je suis le maire de ce hameau.

— Vous parlez français ? s'étonne Maude.

— Oui, je me débrouille, j'ai passé quelques années dans le coin de Sept-Îles, mais la plupart des habitants d'ici parlent surtout l'inuktitut ou l'anglais. Montez dans le camion, je vous conduis à mon bureau, nous pourrons jaser au chaud.

À peine assis, avant même de nous demander ce que nous sommes venus faire là, le maire nous récite l'histoire de sa communauté comme une poésie apprise par cœur. J'imagine que ça doit faire partie du protocole quand ils reçoivent de la visite.

La communauté de Grise Fiord a été implantée ici pour consolider les revendications territoriales du Canada dans l'Arctique. Plusieurs familles autochtones ont été déplacées ici uniquement pour constituer cette communauté. C'est ici que se trouve le poste de la GRC le plus au nord. Ces trois lettres me font frémir, mais je ne pense pas que nous ayons quoi que ce soit à craindre aussi loin des régions où nous sommes recherchés.

En traversant le village, on se rend vite compte qu'il grouille de vie malgré la nuit permanente qui règne ici. Le maire klaxonne et salue des résidents, les enfants jouent dans les rues. Quelques femmes sont dehors, occupées à diverses tâches.

Les maisons sont un amalgame entre des maisons mobiles et des maisons traditionnelles en bois. Rudimentaires mais fonctionnelles.

Nous nous arrêtons devant une bâtisse plus grosse que les autres. Le maire nous fait débarquer et nous prie d'entrer.

À l'intérieur, j'ai l'impression de me retrouver dans un édifice public comme il y en a partout au Canada. À un bureau de secrétaire, une dame travaille. Dans un coin, je remarque une distributrice de café, des feuillets sur les activités du village, une photocopieuse… Bref, un vrai bureau.

Nous prenons place dans ce qui doit être la salle du conseil municipal.

— Café, thé ? nous demande le maire.

Il nous sert dans le plus grand calme. La secrétaire apporte un petit plateau de gâteaux secs. Tout semble émaner d'un protocole qui est respecté à chaque visite.

Pewatook s'assied face à nous.

— Qu'est-ce qui vous amène dans notre région à cette période de l'année ? Voyage scientifique, découverte de la région ? J'ai tout un tas de prospectus dans mon bureau, je peux aller vous les chercher, explique l'homme, enthousiaste.

— Pas la peine, précise Simon avant d'avaler une gorgée de café chaud. Nous ne sommes pas là pour ça.

— Ah, vous êtes là pour une randonnée ! Exploit sportif ? La chasse avec les chiens de traîneau ? Je pars cette nuit pour plusieurs jours d'expédition, je peux m'arranger pour que vous m'accompagniez, si vous le désirez.

— Non, désolé, je suis journaliste, je travaille pour… excusez-moi, je suis reporter indépendant.

Ce revirement dans l'attitude de Simon m'étonne. C'est la première fois que je l'entends dire qu'il est reporter indépendant. Ma persévérance y serait-elle pour quelque chose ?

— Un journaliste ! s'étonne Pewatook. On n'est pas habitués à ce genre de visite.

— Je réalise un reportage sur un bateau qui a disparu dans la baie de Baffin il y a un peu plus de trois ans, pas très loin de l'entrée du fjord. On dit qu'il aurait explosé à cause d'une avarie de moteur. Ça vous dit quelque chose ?

Imperceptiblement, le maire change d'attitude. Son hospitalité fait place à une certaine méfiance.

— Non, désolé, je ne me souviens pas d'un tel événement.

— Vous étiez pourtant la communauté la plus proche. La plupart des gens ici vivent de la pêche, vous parcourez la mer, j'imagine qu'il doit bien y avoir quelqu'un qui se souvient de quelque chose.

— Nous sommes une toute petite communauté. Si quelqu'un avait aperçu quoi que ce soit, tout le monde le saurait.

J'ai l'impression que depuis dix minutes, Simon fait exprès de tourner autour du pot. J'interviens dans la conversation.

— Y a-t-il une équipe de scientifiques qui travaille dans la région ?

Simon me fixe, désemparé par mon intrusion.

— Toutes sortes de scientifiques passent dans notre région, répond Pewatook. Nous sommes le hameau le plus au nord, notre communauté est bien souvent leur point de départ avant de partir plus loin. Qu'est-ce que vous cherchez au juste, un bateau qui a fait naufrage ou des scientifiques ?

— Nous cherchons…

Pewatook me dévisage.

— Ces personnes sont de votre famille ?…

Je suis surprise par sa question. Comment a-t-il pu deviner ? J'ai l'impression que nous touchons au but.

— Oui, il s'agit de ma…

153

— Il y a différents camps scientifiques plus au nord, à plusieurs centaines de kilomètres, reprend-il. C'est peut-être par là que vous devriez chercher. Ici, je crois que vous perdez votre temps.

L'impression que me laisse ce maire est qu'il n'est pas autorisé à parler. Il sait quelque chose, mais il a dû promettre de ne rien dire.

Mon enthousiasme de tout à l'heure est pas mal retombé. Ce que nous cherchons n'est pas ici et nous nous butons au mutisme de ce monsieur. Je ne comprends plus rien aux indices que m'a laissés ma mère.

— Nous autorisez-vous à questionner quelques-uns de vos citoyens pour nous assurer qu'ils n'ont rien vu ? demande Simon en désespoir de cause.

— Comme vous voulez, mais vous risquez d'être déçus. Je vais vous faire préparer des chambres pour la nuit. Vous serez nos invités pour ce soir. Nous avons une bâtisse qui sert d'hôtel avec tout ce dont vous aurez besoin dans le centre du village. À cette période de l'année, vous y serez tranquilles, il n'y aura que vous.

Pewatook est soudainement repassé au ton amical qu'il avait à notre arrivée. Pourtant, c'est comme si quelque chose avait changé dans sa manière d'être, comme s'il était sur ses gardes en permanence. Je ne saisis pas trop pourquoi il nous fait une telle invitation alors que nous n'avons rien demandé, mais nous l'acceptons avec plaisir. Nous avons tous besoin de repos.

De retour à l'extérieur, le froid cinglant nous assaille. En sortant, le maire nous montre un bâtiment pas très loin, nous y aurons nos quartiers pour cette nuit. J'ai déjà hâte d'être couchée dans un vrai lit. Il nous montre aussi la coopérative du village, où nous pourrons nous restaurer.

Nous passons l'heure qui suit à nous balader, d'un bon pas pour ne pas geler sur place, dans les rues du village. Maude, pour sa part, est allée s'occuper du plein de l'hélicoptère. Les gens, ici, sont très accueillants et répondent poliment à nos questions. Les enfants jouent autour de nous, plusieurs sont à vélo… Ce n'est pas sans me rappeler quelqu'un… Malgré toutes nos démarches, nos recherches n'avancent plus du tout. Personne ici ne semble avoir vu ou entendu quoi que ce soit à propos du brise-glace. Pourtant, en regardant pédaler les enfants sur la neige, en observant leur curieux déhanchement qui leur permet de maintenir leur équilibre, je ne peux pas m'empêcher de repenser à Wahlberg lorsqu'il pédalait sur la piste enneigée de l'aéroport de Montréal. Et si c'était ici qu'il avait appris ?…

— Ils sont passés par ici ! dis-je à Simon.

— Je n'en sais rien. J'ai peur d'avoir fait une erreur quelque part. Je n'étais peut-être pas la personne la plus adéquate pour cette recherche.

— Qu'est-ce que vous racontez ? Sans vous, on ne serait jamais arrivés jusqu'ici !

— Mais ici, nous ne sommes nulle part ! J'aurais dû analyser plus en profondeur les données que j'avais. Il s'agit parfois de détails tellement anodins…

— Simon, vous avez déjà passé tout votre temps la tête dans ces dossiers. Vous avez fait tout ce que vous pouviez !

— On n'en fait jamais assez. L'empressement à boucler certains reportages que j'avais au début de ma carrière m'a fait comprendre que les conséquences de mauvaises interprétations pouvaient être dramatiques. Croyez-moi, il y a toujours moyen d'aller plus loin.

— Justement, remarque David en pointant du doigt l'arrière d'une maison. Nous en avons peut-être l'occasion.

Nous emboîtons le pas à mon ami sans trop savoir ce qu'il a vu.

David nous amène dans un coin destiné au rangement des traîneaux à chiens. Un des attelages est stationné dans une espèce de grosse caisse en bois récupérée Dieu sait où.

— Qu'est-ce qu'on vient faire là ? demande mon père.

— Je veux juste vérifier un détail, précise David, mystérieux. J'aurais besoin des photos que vous avez empruntées chez les Wahlberg.

Mon père lui tend les photos qu'il gardait dans sa poche.

David les passe en revue et s'arrête sur une en particulier, où figurent Edmund et Seger, le capitaine du brise-glace. En arrière-plan, on peut voir une partie de la coque du navire sur fond de banquise. David colle son nez sur la photo.

— T'as des problèmes de vue ou quoi ? dis-je, amusée.

— *Exode*…

— Quoi ?

— C'est le nom du brise-glace : *L'Exode*.

— Et alors, où est le rapport ?

Simon, lui, semble avoir compris. Il nous pointe une série d'indications sur la boîte, dont un nom qui se détache de tout le reste.

— Le rapport, Lucie, c'est que c'est précisément le nom du bateau qui a dû transporter cette caisse.

Chapitre 10

Après des recherches plus approfondies dans le village, nous nous sommes rendu compte que plusieurs de ces boîtes provenant du brise-glace se retrouvaient disséminées un peu partout. Certaines étaient utilisées comme rangement, d'autres comme cabanes pour les enfants ou comme garages pour les motoneiges. Nous soupçonnons que l'équipage a dû se débarrasser d'une partie des caisses dans lesquelles il transportait les morceaux d'épave en passant par ce village.

Nous avons interrogé une nouvelle fois des habitants au sujet des caisses. Leur réponse était assez vague. Certains prétendent qu'ils les auraient reçues via le navire de ravitaillement qui passe quelques fois par année, d'autres qu'elles leur ont toujours appartenu ou encore, que certaines auraient échoué sur le rivage. Ces réponses sont peu convaincantes.

Seger est passé ici avec *L'Exode*, reste à savoir pourquoi on ne veut rien nous dire.

Nous nous retrouvons dans une des chambres qui nous ont été préparées. Les pièces sont modestes et pas très bien éclairées, mais elles feront l'affaire pour cette nuit.

Nous sommes exténués par le voyage que nous venons de faire et surtout par le manque de résultats. Le temps passe, et si nous ne trouvons pas très vite la position exacte de ma mère, il sera trop tard pour empêcher Atmospheric Energies d'agir.

— Simon, peut-être devrions-nous revérifier les coordonnées géographiques qui étaient sur mon sac, on a peut-être mal lu. Il doit y avoir une erreur, dis-je en essayant de remotiver la troupe. Je suis certaine qu'il doit y avoir un autre village que nous n'avons pas vu.

Simon marmonne dans son coin, plongé dans ses réflexions.

— Il n'y a pas d'erreur dans les coordonnées. C'est autre chose. *L'Exode* est bien passé ici, c'est évident. Le groupe de Catherine a dû convaincre les habitants de les « oublier ».

— Mais où sont-ils allés après ? demande Maude. Cette communauté était la plus proche du pôle Nord magnétique que nous ayons trouvée. Ils ne se sont tout de même pas enfoncés plus avant dans l'Arctique sans la moindre source d'énergie !

Le journaliste continue de baragouiner dans son coin.

— Pourquoi *infimes… d'infimes vagues de courant…*

Puis il reprend le fil de la conversation.

— Il faut que je retourne éplucher leur travail sur la résonance de Schumann. J'ai dû passer à côté de quelque chose.
Je suis sûr que nous sommes sur la bonne voie, mais j'ai peut-
être mal interprété l'énigme.

Ah non, Sherlock Holmes ne va pas remettre ça !

— Simon, bon sang, ce n'est plus une question d'énigme,
c'est une question de position géographique. On cherche
un endroit susceptible de leur fournir de l'énergie pour leur
expérience à proximité du pôle Nord magnétique ! Allez-vous
finir par lâcher cette foutue phrase, me semble qu'on en a fait
le tour !

Le journaliste ne m'écoute pas.

— Ils sont venus ici. Ils se sont débarrassés des caisses
dans lesquelles ils transportaient les débris qu'ils ont jetés à
la mer. Qu'ont-ils fait après ? bredouille Simon, noyé dans ses
pensées.

Je lève les bras au ciel, désemparée. Impossible de lui faire
entendre raison quand il est comme ça. Je lui tends mon ordinateur dans lequel se trouve le dossier sur la résonance de
Schumann.

— Je vous laisse vous débrouiller avec, cette fois-ci. Vous
devriez être capable d'accéder au dossier tout seul.

Simon sort brièvement de ses pensées, fait la moue mais
accepte de tenter le coup.

— Et si je fais planter la machine ?

— J'ai confiance, dis-je avec un brin d'inquiétude.

Mon père, qui était comme toujours plongé dans ses pensées, se permet une incursion dans notre conversation avant le départ de Simon.

— Vous savez, Simon, jusqu'à maintenant, je croyais connaître ma femme. Aujourd'hui, j'ai des doutes sur bien des points. J'ai besoin d'avoir ses réponses. Il y a par contre un trait de caractère qui, j'en suis certain, est toujours présent chez Catherine : c'est une maniaque du détail. La précision est son cheval de bataille.

— Où veux-tu en venir, papa ?

— Si elle voulait qu'on la retrouve, ici, dans ce village, elle aurait donné les coordonnées de cette communauté, pas celles du pôle Nord magnétique.

Simon soupire.

— C'est précisément ce que je commence à croire aussi, dit-il en quittant la pièce.

▲ ▼ ▲

Plus tard dans la nuit, je suis blottie dans les bras de David, ensevelie sous une tonne de couvertures. À entendre sa respiration, je sais que mon ami ne dort pas. Je me tourne doucement pour être face à lui. Je chuchote :

— Toujours cette insomnie ?

— Désolé, je n'y peux rien, c'est comme si je n'étais plus capable de relaxer suffisamment pour m'endormir.

— Je peux te chanter une berceuse !

David rigole de bon cœur et m'embrasse.

— Épargne-moi ça, s'il te plaît, murmure-t-il en plaisantant.

Ce n'est guère mieux de mon côté. Je n'arrive pas à fermer l'œil. Cette histoire me ronge. Je suis convaincue que nous avons ignoré un endroit ou une communauté plus proche du pôle magnétique que celle-ci. Ce n'est pas possible autrement.

Mes pensées reviennent aussi à Natacha : a-t-elle reçu mon message ? Elle et sa famille ont-ils quitté l'endroit où ils prenaient des vacances ? Il faut que je fasse accélérer les choses.

— Tu n'as pas l'air tellement mieux que moi, remarque David.

— Impossible de me reposer avec cette histoire en tête.

David se colle un peu plus sur moi et me couvre de baisers. Je me libère de son étreinte et me lève.

— Où vas-tu ? demande David, étonné de ma réaction.

Je ne réponds pas immédiatement.

— Désolé, je ne voulais pas te brusquer… ajoute timidement David.

Je me tourne vers lui.

— Tu ne me brusques pas. C'est juste que… enfin, je n'arrive pas à penser à autre chose qu'à cette affaire, en ce moment. Si on ne fait rien…

Je reste pensive.

En jetant un œil par la fenêtre, je constate que même à cette heure avancée de la nuit, le village grouille encore d'activité. Les habitants dorment vraiment quand ils le veulent, ici. Ce qui me surprend un peu plus, c'est de voir Simon, à une centaine de mètres du gîte, en train de discuter avec un autochtone qui a l'air de lui montrer une direction en faisant de grands gestes. Que peut-il bien fabriquer là ?

— Je ne vois pas ce qu'on peut faire de plus ce soir, rétorque David.

Il me revient à l'esprit que le maire nous a dit que toutes les commodités sont disponibles dans ce bâtiment. Je me demande bien si, par hasard, ils n'auraient pas Internet. Je suis sûre que je peux repérer, grâce aux sites de photos de la Terre par satellite, un lieu habité plus proche du pôle magnétique que cette communauté.

— Je vais utiliser l'ordi du rez-de-chaussée. S'ils ont Internet, je peux peut-être trouver les informations qui nous manquent.

— À ta guise, lance David en se retournant dans le lit, dépité de me voir refuser ses avances. Si je peux t'aider…

Je me rends au rez-de-chaussée. Le petit bureau qui sert de réception est désert à cette heure. Il y a un ordinateur sur le bureau. D'après ce que je peux voir des connexions de la machine, elle devrait être reliée à un réseau. Je tente le coup.

Je m'assieds derrière l'ordi et le mets en route. Pas de mot de passe, ouf. J'accède rapidement à la page d'accueil tout en gardant un œil aux alentours. Je ne suis pas sûre d'avoir le droit d'être là.

Je me connecte au site de visualisation du globe et commence par repérer Grise Fiord, où nous nous trouvons. Je localise ensuite le pôle Nord magnétique afin de me donner un périmètre de recherche. Maintenant, il s'agit d'être patiente.

Il faut que je passe au peigne fin le territoire à proximité du pôle en question. Ça peut me prendre des heures.

De fait, après deux heures de recherches intensives sans résultat, mes yeux commencent à avoir du mal à soutenir l'éclairage de l'écran. La fatigue me gagne. J'ai besoin d'une pause. Avant d'éteindre l'ordinateur, j'ai pourtant une envie qui me démange. Je veux savoir si Natacha a eu l'occasion de lire le message que je lui ai envoyé. Si je suis chanceuse, elle a quitté le chalet avec sa famille. Une chose est sûre, si elle a lu mon message, elle m'a répondu.

J'outrepasse les recommandations de Maude de ne pas ouvrir ma boîte de messages, c'est un cas de force majeure. Et puis ici, loin de tout, je n'ai pas l'impression de courir de bien gros risques. On ne doit pas se préoccuper beaucoup des fugitifs recherchés à Québec au poste local de la GRC.

Je passe mes messages en revue. Rien. Pas le moindre signe de Natacha. Elle n'a donc pas lu mon précédent message et se trouve fort probablement encore dans le chalet.

Mon moral retombe à zéro. Je n'ai rien trouvé sur la carte et Natacha est toujours isolée de tout.

En rentrant dans la chambre, David m'interroge :

— Et alors ?

— J'ai perdu mon temps, dis-je en me recouchant près de lui.

David m'enlace et me serre contre lui.

— Tu ne m'en veux pas pour tout à l'heure ? dis-je d'une voix douce.

— Non, c'est juste que sur le coup, c'était plutôt agréable. J'espère que je ne te ferai pas sauter hors du lit chaque fois !

À mon tour de lui faire de petits bisous en rigolant.

— Ça n'arrivera plus, c'est promis.

Je ferme les yeux pour profiter de ce doux moment. À peine ai-je le temps de sombrer dans cette agréable torpeur qu'un flash à répétition se met à éclairer toute la chambre. Ça vient de l'extérieur. Je bondis sur mes pieds et fonce vers la fenêtre. David, toujours dans le lit, soupire.

— La prochaine fois, je t'attache !

— Qu'est-ce que c'est que ça ? dis-je en voyant deux gros *pick-up* garés devant notre bâtiment.

Tous les deux ont des gyrophares bleus sur le toit. Plusieurs hommes en descendent. Ils sont en uniforme.

Oh non ! Je comprends immédiatement que ma prise de messages de tout à l'heure y est pour quelque chose. Les personnes qui surveillent ma boîte de courriels ont dû envoyer notre signalement au poste de la GRC de ce village. J'étais loin d'imaginer qu'ils feraient le lien jusqu'ici !

— David... va réveiller mon père.

— Quoi, qu'est-ce qu'il y a ? demande-t-il, éberlué.

— Je crois qu'il va falloir quitter cet endroit très rapidement.

David me regarde.

— Lucie, qu'est-ce que tu as fait ?

— Occupe-toi de mon père, je vais chercher Maude.

David s'habille à la hâte et quitte la pièce. Je fonce derrière lui et vais frapper à la porte de mon amie. Maude se présente les cheveux hirsutes, à moitié habillée.

— Ça n'a pas l'air d'aller, ma belle ? bâille-t-elle.

— Maude, j'ai fait… je n'aurais pas dû, je sais… mais c'était pour Natacha. Il faut ficher le camp d'ici tout de suite.

— Quoi ?

— Il y a deux camions de la GRC dehors. Ils n'ont pas l'air d'être là pour faire la circulation.

Maude comprend immédiatement l'urgence de la situation. Elle continue de me parler en ramassant ses affaires et en s'habillant rapidement.

— Les autres sont avertis ?

— David a prévenu mon père, mais je ne sais pas où est Simon.

— Comment ça ? bredouille Maude en enfilant son pantalon.

— Tout à l'heure il était dehors, il discutait avec des gens du village.

— Va tout de même vérifier dans sa chambre et récupère ses choses s'il n'y est pas.

Je ne perds pas de temps.

Évidemment, notre journaliste n'est pas là. Je mets la main sur le projet Tesla et mon ordinateur. Je regroupe le tout dans sa petite mallette et prends la poudre d'escampette.

Nous nous retrouvons tous dans le couloir de l'étage, où nous avions nos appartements. Nous entendons la police qui vient d'entrer en bas.

167

Maude regarde par la cage d'escalier, puis par la fenêtre d'une pièce qui sert de salle à déjeuner et évalue la situation.

— Qu'est-ce qu'on fait ? dis-je, paniquée.

— On attend qu'ils soient tous entrés ! ordonne mon amie.

— Quoi ? Tu veux être sûre qu'on se fera pincer ? dit mon père.

Maude attrape le grille-pain qui se trouve dans la cantine et le bourre avec du pain blanc qui nous attendait pour le déjeuner. Elle branche l'appareil et le met juste sous le détecteur d'incendie, qui est relié au gicleur qui distribue de l'eau par les plafonds du bâtiment en cas de feu.

— Qu'est-ce que tu trafiques ? dis-je à mon tour.

Maude revérifie où en sont les policiers. Ils sont dans la cage d'escalier.

— Tout le monde saute par cette fenêtre, lance mon amie. On va atterrir dans le banc de neige laissé par la souffleuse.

— Et après ? remarque mon père. Ils vont nous rattraper avec leurs camions !

— Non, ils vont être trempés. Ils ne sortiront pas par -40 °C tout mouillés ! Ils gèleraient instantanément. Ça nous donne quelques minutes pour courir. Maintenant SAUTEZ avant que le détecteur se mette en marche !

Nous obtempérons. Nous nous retrouvons tous les fesses dans le banc de neige. Maude saute la dernière, au moment même où l'alarme se met en marche. Arrivée en bas, elle garde la situation bien en main.

— Les deux jeunes, passez-nous vos sacs. Sidney et moi, on s'occupe de faire démarrer l'hélico. Vous deux, arrangez-vous pour retrouver Simon. Vous n'avez pas beaucoup de temps.

Maude et mon père disparaissent presque aussitôt. Mon cerveau a tout juste le temps d'assimiler l'information que David me tire par la main.

— On reste pas ici!

Nous nous éloignons de l'hôtel. Nous nous arrêtons derrière une petite église à l'écart de la rue principale.

Le système d'alarme de l'hôtel a ameuté tout le village. Les habitants se regroupent là-bas, curieux. David et moi reprenons notre souffle.

— Si Simon entend l'alarme, il va se précipiter vers l'hôtel pour voir ce qui se passe et tomber dans les griffes de la GRC, remarque David. Faut le trouver rapidement.

— Je l'ai vu tout à l'heure. Il discutait avec un homme dans ce coin-là, dis-je en montrant un groupe de maisons.

David et moi partons à la course en passant délibérément par les endroits les moins éclairés.

Nous faisons le tour des quelques habitations sans trouver la moindre trace du journaliste. Où a-t-il bien pu passer?

— T'es sûre qu'il était ici?

— Oui, mais il a pu changer d'endroit.

Par chance, une seconde plus tard, je vois passer l'homme à qui Simon parlait et qui, comme les autres, semble attiré par l'alarme de l'hôtel.

— *Excuse me*, dis-je en anglais en lui sautant presque dessus. *I saw you earlier talking with a man. Where did he go?*

— *Oh! He was looking for the place where we put the boats in winter. And he wanted to learn more about our traditional modes of construction. I showed him the shed, there*, dit-il en pointant un gros bâtiment proche du bord de l'eau. *I think that's where he is.*

David et moi on se regarde. On fonce.

En moins d'une minute nous arrivons devant le bâtiment. La porte principale en est entrouverte.

Il fait très sombre à l'intérieur. Il y a effectivement toute une série de canots cordés en ligne à l'entrée. Juste derrière, deux gros bateaux de pêche et quatre ou cinq canots pneumatiques. Au fond, de massives étagères sur lesquelles reposent des pièces probablement destinées à la réparation de différents types d'embarcations. C'est un vrai labyrinthe là-dedans.

David et moi nous mettons à crier le nom du journaliste en espérant qu'il nous entende.

J'entends un petit « par ici » venant des profondeurs de l'entrepôt.

Nous nous engouffrons dans le dédale d'étagères et de pièces qui jonchent le sol. Après quelques instants, nous découvrons Simon entre deux rangées, en train d'observer plusieurs pièces étalées devant lui.

— Simon, il faut que… dis-je avant d'être interrompue.

Simon nous fait observer l'amalgame d'objets qui se trouve devant lui.

— Ce n'est pas le moment de jouer aux devinettes. On a la police aux trousses.

Simon n'a même pas l'air inquiet.

— Avez-vous remarqué les deux Zodiac à l'entrée ?

— Difficile de ne pas les voir ! rétorque David.

— Les pièces que vous avez devant vous, indique-t-il en nous montrant deux espèces de gros bras métalliques, sont destinées à mettre ce genre d'embarcation à l'eau à partir du pont d'un bateau.

— Et alors ? dis-je, désemparée.

— Ces bras ne peuvent vraisemblablement pas être posés sur un bateau de pêche comme ceux qu'il y a dans le hangar, car ces bateaux sont trop petits.

— Venez-en au fait, Simon, on n'a pas beaucoup de temps ! panique David.

— Sur les deux Zodiac figure le nom du bateau d'où ils proviennent : *L'Exode*. Ces deux grues étaient montées sur son pont quand a été prise la photo que Sidney conserve de Wahlberg et Seger. Ce n'est pas tout…

Simon nous entraîne un peu plus loin.

— Souvenez-vous de ce que Baptiste nous a dit : Seger avait, pour ses touristes fortunés, monté un semblant de casino dans son brise-glace. Eh bien, il est ici, en pièces détachées, dit-il en nous montrant des tables de jeu précautionneusement emballées dans du papier bulle. Tout ce hangar regorge de pièces provenant de *L'Exode*. Tout ce qui était en trop a été caché ici.

— Mais pourquoi avoir fait ça ici ? dis-je, intriguée.

— Probablement parce que ce village est loin de tout et qu'ainsi il n'éveillait les soupçons de personne sur les activités du brise-glace.

— D'accord, mais pourquoi se défaire de tout ça ? demande David à son tour.

— Pour gagner de la place !

— Je ne vois pas où vous voulez en venir ?

— *D'infimes vagues de courant s'imbriqueront...* Ce bout de phrase m'interpelle depuis que je lis cette énigme. Pourquoi *infimes*, puisque fondamentalement, on peut envoyer n'importe quelle charge de courant dans les couches de l'atmosphère et bénéficier de la résonance de Schumann pour l'amplifier.

— Simon, on n'a pas vraiment le temps de discuter énigme pour le moment, faut s'en aller... dis-je, exaspérée, en entraînant le journaliste avec nous.

À la sortie, David et moi scrutons les alentours. Mauvaise nouvelle : les policiers ont repris du service. Les deux *pick-up* sont en mouvement. Ils vont se diriger vers l'aéroport où Maude a fait démarrer l'hélico.

Pendant que David et moi élaborons un plan d'évasion, Simon continue sa théorie.

— J'ai compris en relisant une nouvelle fois les tests réalisés par Wahlberg et Catherine qu'ils avaient...

— Pas le moment ! l'interrompt David en nous faisant signe de le suivre. Il nous entraîne le long d'une façade de maison où sont stationnées des motoneiges. Les clés sont sur le contact ! Je fais de grands yeux.

— Tu sais conduire ce genre d'engin ?

— Va bien falloir que j'essaye ! Avec les *ski-doo*, on peut arriver à l'hélico avant les *pick-up*. Nous sommes plus proches qu'eux de l'aéroport ! À pied, c'est impossible.

Pas le choix, nous montons tous les trois sur la même machine. C'est plutôt serré. Simon se tient à David et je me tiens à Simon.

D'ici, la distance qui nous sépare de l'hélicoptère n'est pas très importante. Par contre, c'est un vrai labyrinthe de cabanes et de maisons devant nous. Au moins, ça nous permet de rester à couvert le temps de nous faufiler hors du village.

David fait ce qu'il peut pour tirer le meilleur de la machine en faisant du slalom entre les obstacles.

En haut d'une côte, nous arrivons sur un terrain plus dégagé. Quelques enfants font de la luge et nous frôlons au passage leurs vélos qu'ils ont laissé traîner dans la neige. La partie se joue plus serrée. Ici, nous sommes à découvert et d'où ils se trouvent, les deux *pick-up* ne tardent pas à nous repérer. L'un des deux fait route vers nous. David accélère de plus belle.

En direction de l'aéroport, le terrain est de plus en plus accidenté. Les bosses se succèdent à un rythme effréné, la neige nous éclabousse le visage et nous sommes ballottés dans tous les sens. J'ai du mal à tenir sur mon siège.

La voiture se rapproche rapidement. David peine à contrôler notre engin, à cette allure et dans la neige molle.

Soudain, je ne comprends pas ce qui se passe. Je perds complètement l'équilibre. Je ne retombe pas sur mon siège. Le son de la motoneige s'éloigne.

Je percute le sol de plein fouet et roule sur moi-même pendant quelques longues secondes avant de m'arrêter. Je finis la face dans la neige, le souffle coupé.

Il me faut un petit moment pour reprendre mes esprits. À la vitesse où nous roulions, c'est un véritable miracle si je n'ai rien de cassé. Pourtant, j'ai beau remuer délicatement chacun de mes membres, tout a l'air en place.

Je me redresse doucement pour voir si les autres vont bien.

Bon sang ! Simon et David n'ont rien remarqué ! Ils ont continué leur chemin sans même se rendre compte que j'étais tombée de la motoneige.

Ils arrivent à la hauteur de l'hélicoptère, qui est déjà partiellement en l'air. Les deux *pick-up* sont sur leurs talons.

Maude fait ce qu'elle peut pour les éloigner en faisant tourner la queue de l'appareil afin de les maintenir à distance.

Au moment où ils embarquent, David et Simon se rendent compte que je ne suis plus là… Les policiers aussi. Tous regardent aux alentours pour localiser l'endroit où je me trouve. Ils ne mettent pas très longtemps à y parvenir.

Les deux voitures font demi-tour immédiatement, ne pouvant lutter avec l'hélico, et foncent vers moi. David et Simon montent dans l'appareil, qui se dirige également vers moi. Je me mets péniblement debout. Les policiers seront là les premiers… La distance est courte, les voitures seront plus rapides. Par contre, si je pouvais m'éloigner un peu, Maude aurait le temps de me rejoindre.

Je regarde autour de moi. Les enfants… Les vélos…

Je prends mes jambes à mon cou et file tout droit enfourcher une bicyclette que j'emprunte aux enfants.

En repartant d'où nous sommes venus, en me faufilant entre les maisons, j'ai peut-être une chance de distancer ces gros véhicules.

Je me laisse descendre dans la côte qui aboutit au village, sous les yeux abasourdis des enfants que je dépasse, en pleine descente, assis sur leur luge.

Garder l'équilibre sur le *ski-doo* était une chose, le garder sur un petit vélo qui dévale une pente enneigée en est une autre. Impossible de mettre mes pieds sur les pédales, j'ai besoin d'eux pour me stabiliser. J'essaye de tourner le guidon, rien à faire, ça ne réagit pas.

Je dois à tout prix trouver le moyen de tourner, sans quoi je vais m'encastrer dans un rideau de fourrures de mammouth suspendues à côté d'une maison, droit devant.

J'entends derrière moi les moteurs des voitures qui se rapprochent. Il faut que je pénètre dans le labyrinthe de maisons, c'est ma seule chance.

La manœuvre de David lors de notre descente sur la piste du Red Bull Crashed Ice me revient en tête. Ça peut peut-être fonctionner. Je tente *in extremis* une manœuvre de sauvetage en penchant le vélo et en bloquant mon pied gauche dans la neige. La bicyclette se met complètement en travers du chemin. Cela me ralentit beaucoup mais, au moins, ça me permet de modifier ma trajectoire et d'entrer dans le village.

Je pédale comme une déchaînée pour distancer mes poursuivants, mais quelques pâtés de maisons plus loin, force m'est d'admettre qu'ils me collent toujours et qu'ils sont meilleurs que je ne le pensais dans ce dédale de petites rues.

J'entends l'hélicoptère au-dessus de moi. Je devine que Maude veut trouver un moyen de me récupérer mais, là où je me trouve, impossible pour elle de tenter quoi que ce soit.

Il faut que je trouve une solution, et vite.

Au détour d'une rue, je me retrouve sur un terrain vague avec la police qui m'arrive dessus. Cette fois, je crois que c'est foutu, ils vont me cueillir dans les prochaines secondes. Jusque-là, mon seul avantage sur leur vitesse était la manœuvrabilité du vélo; ici, c'est eux qui ont le beau jeu.

Je continue à pédaler en désespoir de cause quand tout à coup, j'entends des jappements qui se rapprochent derrière moi.

Je suis presque instantanément dépassée par une meute de chiens enragés attelés à un traîneau. L'homme emmitouflé qui les commande s'adresse à moi en français; pas difficile de savoir de qui il s'agit.

— Montez, mademoiselle…

— Pour que vous me donniez aux policiers de votre village? Vous me prenez pour une imbécile?

— Non, parce que je connais une place où ils ne pourront pas vous suivre.

— Z'avez juste à me la montrer, dis-je à bout de souffle.

Les voitures sont à présent sur le terrain vague, elles ne mettront que quelques secondes à me rejoindre.

— Vous n'y arriverez pas à temps… Moi oui.

Ai-je d'autres possibilités ?

Maude a fait descendre l'hélicoptère et tente de le mettre en travers de la trajectoire des voitures, mais ça ne suffira pas. Les *pick-up* se faufilent avec agilité, Maude parvient tout au plus à les ralentir un peu.

Pas le choix. Je profite de la diversion de mon amie pour rejoindre Pewatook sur son traîneau à chiens en sautant sur un gros tas de fourrures. L'attelage prend aussitôt de la vitesse, au point que je dois vite m'accrocher à tout ce que je peux pour tenir en place.

— Vous pensez pouvoir les distancer ?

Pewatook ne répond pas. Il est concentré et donne plusieurs ordres à ses chiens, qui se laissent diriger au doigt et à l'œil. Nous nous engouffrons à pleine vitesse dans un passage entre des hangars à bateaux. Les chiens font un bruit d'enfer, accompagnés des sirènes de police et du son de l'hélico qui nous survole : il ne doit plus y avoir personne qui dort dans ce village.

Nous allons de plus en plus vite. Les bourrasques de neige me fouettent le visage. Je ne vois presque rien. Au moins, Pewatook semble garder une bonne distance entre nous et nos poursuivants. Mais où m'emmène-t-il au juste et pourquoi fait-il cela ?

Pas le temps de me poser d'autres questions. Je suis à nouveau ballottée de gauche à droite. L'attelage caracole entre quelques bâtiments plus clairsemés et renverse au passage toutes sortes de babioles qui traînent là.

Nous arrivons enfin devant une immense étendue blanche. Il n'y a plus rien à l'horizon, à part la nuit et l'Arctique. Pewatook en profite pour accélérer de plus belle et s'élancer droit devant, dans le néant.

Je ne comprends pas. Ici, nous n'avons aucune chance. Les *pick-up* seront sur nous dans moins d'une minute.

Cette évidence ne semble même pas avoir effleuré l'esprit de Pewatook. Il poursuit sa route comme si de rien n'était. Je vais finir par croire qu'il a décidé de m'emmener avec lui à la chasse.

— Où m'emmenez-vous ? dis-je en criant pour qu'il m'entende.

Pewatook ne répond toujours pas. Il regarde derrière nous.

Pour une raison que j'ignore, les voitures de police se sont arrêtées à plusieurs centaines de mètres derrière nous et ne semblent plus vouloir bouger.

Pewatook arrête son traîneau et allume aussitôt une fusée éclairante pour signaler notre position à Maude. Pourquoi a-t-il fait ça ? Où sommes-nous pour que les autres n'osent pas approcher ? Je commence à avoir une petite idée…

— Nous sommes sur un territoire sacré, n'est-ce pas ? C'est pour ça que les policiers n'approchent pas. C'est ici que sont enterrés vos ancêtres ! dis-je fièrement.

Durant un court instant, Pewatook me dévisage avec un drôle d'air. Puis éclate de rire.

— Un territoire sacré ? Vous regardez trop la télévision !

— Alors quoi ? Pourquoi ils n'approchent pas ? Et puis d'abord, pourquoi vous m'aidez ?

Maude est maintenant juste au-dessus de nous. Je ne saisis pas pourquoi elle n'en profite pas pour atterrir. Ce n'est pas la place qui manque.

— Regardez autour de vous, lance le chef inuit. La glace qui nous entoure fond un peu plus chaque année. Il y a moins de cent ans, on aurait pu passer avec un camion sur cette partie de la banquise. Aujourd'hui, seuls les *ski-doo* et les traîneaux osent s'y aventurer.

Je comprends pourquoi Pewatook s'est moqué de moi avec cette histoire de terre sacrée.

— Vous avez eu le temps de faire le tour du village, non ? reprend-il.

Je hausse les épaules et réponds par l'affirmative, ne sachant trop où l'homme veut en venir.

— La survie de ce petit microcosme ne tient plus qu'à un fil. Les glaces fondent, les saisons sont complètement bouleversées, nos chasseurs sont obligés d'aller toujours plus loin pour trouver du gibier. Je ne donne pas plus de cinquante ans à ce petit hameau. Après, nous aurons probablement disparu.

— Pourquoi me parlez-vous de ça ?

— Il y a quelques années, une personne m'a expliqué que, par un principe scientifique d'un nouveau genre, elle pouvait remédier à tout cela. Si je ne me trompe pas, vous savez parfaitement de qui je parle…

À peine sa phrase terminée, Pewatook m'enlace par la taille. Je suis décontenancée par son geste, je fais un pas en arrière. Je saisis alors qu'il vient d'attraper le harnais hélitreuillé par Maude afin de me faire monter dans l'hélico.

Maude n'a probablement jamais eu l'intention de se poser, sans doute pour ne pas risquer de tomber dans un piège. Elle a préféré, à mon grand désarroi, me remonter dans la machine au moyen du treuil. Je ne suis pas sûre que ça me tente beaucoup.

Je me tourne vers le chef inuit, qui termine de me harnacher.

— Merci… mais ils vont vous tomber dessus… dis-je en montrant les *pick-up* à l'horizon. Vous êtes le maire du village !

— Ne vous inquiétez pas pour moi, ce sont des cousins, des voisins et des amis, ils comprendront ma position. Nous sommes une communauté très soudée… même si j'ai tendance à piétiner les terres sacrées, plaisante Pewatook.

Je sens que le treuil commence à me hisser. J'en profite, c'est peut-être le seul moyen de glaner encore un ou deux renseignements.

— Elle vous a dit où elle allait, n'est-ce pas ? dis-je à mon sauveur en pensant à ma mère.

— Oh, je ne sais pas grand-chose, vous savez… rétorque l'homme.

— Où ? dis-je, insistante.

Je m'élève de plus en plus, le bruit produit par l'hélicoptère devient assourdissant.

— Si vous êtes celle que je crois, vous l'apprendrez bien assez tôt, me crie Pewatook.

Rien à faire, je ne saurai rien de plus.

Mon père et David me récupèrent dans l'hélico, qui repart aussitôt.

— Pourquoi il t'a laissée partir ? demande mon père, d'une humeur massacrante.

— T'aurais préféré qu'il me garde ?

— Tu n'as pas fait dans la dentelle, cette fois-ci ! Fallait vraiment que tu grilles notre dernière piste ?

— Pewatook connaissait maman. Il a deviné que j'étais sa fille.

— Et il t'a dit où elle était ?

— Non, je pense qu'il voulait se garder une marge d'erreur.

— Sensationnel ! balance mon père en levant les bras au ciel. Alors, on fait quoi maintenant ? On rentre chez nous et on attend la prochaine ère glaciaire ?

Je ne dis rien, je sais que tout est de ma faute. J'avoue que j'aimerais avoir une solution à lui proposer, mais je n'en ai pas.

David tente de me réconforter un peu.

— Tu n'es pas blessée au moins ?

— Ça va, la neige a amorti ma chute. J'ai été chanceuse, dis-je en m'appuyant sur l'épaule de mon amoureux.

Simon remarque mon embarras. Il prend un air compatissant.

— Je disais donc qu'en relisant les tests effectués par Edmund et par Catherine, je me suis rendu compte qu'ils avaient fait une découverte majeure sur la résonance de Schumann : plus la source avec laquelle on envoie de l'énergie dans l'atmosphère est proche d'un pôle magnétique, plus la capacité de résonance de l'atmosphère est grande.

— Simon, vous ne pourriez pas décrocher un peu de vos thèses scientifiques ? dis-je, excédée. C'est foutu, terminé, on a juste à rentrer chez nous, on ne trouvera jamais ma mère à temps !

— Cette découverte sous-entend que même avec une simple pile de quelques volts, quelqu'un qui se trouve près du pôle magnétique peut produire une énergie assez importante pour modifier le climat. C'est cela que signifiait *infimes vagues de courant* !

David fronce les sourcils. On dirait qu'il a compris où Simon veut en venir.

— On ne cherche plus un village ?

— Bien sûr que non ! L'équipage de *L'Exode* s'est déchargé de l'excédent de bagages dans la communauté de Grise Fiord pour maximiser la place à bord du bateau, mais ils n'ont jamais eu l'intention de rester sur place !

— Alors, ils sont où ? demande mon père, sceptique.

— Là où ils ont toujours été, à bord du bateau ! C'est *L'Exode* qu'il faut chercher ! Ils ont monté la station d'émission directement sur le navire. Près du pôle, l'énergie du brise-glace suffit à l'installation ! Or, *L'Exode*, nous savons exactement où il se trouve.

Chapitre 11

Autant Simon a eu les mots qu'il fallait pour nous remonter le moral à tous, autant Maude, à l'inverse de ses habitudes, n'a pas l'air follement emballée.

— Simon, êtes-vous vraiment sûr que l'équipe de Catherine se trouve là-bas ?

— Absolument ! Je n'ai aucun doute.

— Pourquoi es-tu si inquiète ? dis-je à mon amie en me tournant vers le poste de pilotage.

— Parce que nous n'avons pas droit à l'erreur.

— Qu'est-ce que tu veux dire ?

— La distance qui nous sépare du pôle Nord magnétique est à la limite de l'autonomie du réservoir de l'appareil. Si nous ne trouvons personne là-bas, nous ne pourrons pas revenir.

— On appellera des secours !

— En pleine nuit boréale, à une telle distance, ils prendront du temps à arriver.

Je me tourne vers Simon. Il faut que, cette fois-ci, il soit sûr de son coup.

— C'est notre dernière carte à jouer, n'est-ce pas ? conclut-il.

— La question est de savoir si on la joue ou pas, Simon.

Le journaliste soupire.

— Ils sont là, j'en suis certain. Il n'y a pas d'autre possibilité.

▲ ▼ ▲

Maude nous a prévenus dès le départ de Grise Fiord : il nous faudra au moins cinq autres heures de vol pour atteindre le point éloigné de l'Arctique que nous visons. Il ne m'en fallait pas plus pour sombrer dans un sommeil bien mérité, bercée par le bruit sourd du moteur.

J'ai refait ce drôle de rêve : ma mère face à un immense brasier, et son regard satisfait…

Je finis par me réveiller à cause d'une douleur dans les oreilles, signe que Maude est en train de faire descendre l'appareil. Je me rends compte en ouvrant les yeux que nous étions presque tous endormis, excepté Simon qui était toujours plongé dans ses dossiers. Il a l'air particulièrement inquiet.

— Que se passe-t-il ? Pourquoi on descend ?

Le journaliste bredouille.

— Ce n'est pas possible, c'est forcément ici…

— Maude, pourquoi on descend, t'as trouvé quelque chose ?

Maude secoue la tête négativement.

— Je veux économiser nos ressources. En me posant maintenant, ce qui va nous rester de carburant va permettre de chauffer l'appareil en attendant que les secours arrivent. Si nous allons plus loin, nous risquons d'être pris sans chauffage, c'est trop dangereux.

Sur le coup, je suis totalement désemparée. Ça veut dire que Maude n'a rien trouvé.

— On ne peut pas continuer encore un peu ?

David vient se placer à côté de moi dans le petit espace qui sépare la cabine du poste de pilotage.

— Qu'est-ce qui se passe ?

— Je dois poser l'appareil. Il en va de notre survie à tous. Je n'ai pas le choix. Si j'étais certaine qu'ils se trouvent à proximité je pourrais continuer, mais il n'y a rien à l'horizon, rien sur mon radar, aucun de mes appareils de navigation ne me confirme que nous sommes proches du bateau.

David l'interrompt :

— Maude, s'il n'y a rien… alors c'est quoi le petit point, là, sur l'écran, qui se rapproche de nous ?

Maude fixe immédiatement ce que vient de lui montrer David.

— En tout cas, ce n'était pas là il y a une minute ! lance-t-elle, enthousiaste.

— C'est eux, c'est le bateau ?

Maude pianote sur ses boutons.

— Non, ce n'est pas un bateau, c'est trop rapide. Il fonce vers nous à cent quatre-vingts kilomètres à l'heure.

— Un avion, alors ?

— Peu probable à cette vitesse ! Ça ressemble plutôt à un autre hélicoptère.

Nous scrutons l'horizon afin d'essayer de discerner quelque chose. Il fait un noir d'encre. Pas moyen de distinguer quoi que ce soit.

Maude, malgré son intention de se poser, poursuit dans la direction du signal.

— On devrait le voir sous peu…

— Là, pointe David en nous montrant un petit point brillant.

Un signal lumineux approche rapidement. L'hélicoptère d'en face nous a repérés également. Il allume un gros projecteur, qu'il braque dans notre direction. Maude, éblouie, passe en vol stationnaire. L'autre appareil est rapidement à notre hauteur. Maude lance un appel radio pour qu'il s'identifie. Pas de réponse.

L'engin nous tourne autour comme pour nous inspecter. Maude réitère son message radio. Toujours rien. Juste quelques grésillements.

Puis, tout à coup… Une voix.

— Hey, mais c'est de la grande visite ! J'espère que vous avez prévu des mitaines, il fait plutôt frais dans la région !

Cette voix, nous la reconnaissons tous aussitôt. Maude en a les larmes aux yeux.

— Arlène ! dis-je dans le micro. C'est trop le fun de t'entendre !

— Salut tout le monde, répond ma tante. Toujours fan de café, Lucie ? Je connais un endroit pas trop loin où il y en a du pas pire, ça vous tente ?

— Sans hésiter, répond Maude en collant notre hélicoptère à la queue du premier.

Tout notre petit groupe est enthousiaste.

— Comment savais-tu que nous serions là ? dis-je à ma tante dans l'autre hélico.

— C'est Pewatook qui nous a prévenus. Il n'était pas supposé parler de *L'Exode*, car nous craignions que les gens d'Atmospheric nous retrouvent, mais il était convaincu que tu avais des airs de famille avec Catherine, c'est pourquoi il nous a contactés.

J'enlace Simon pour le féliciter.

— Vous avez réussi, vous aviez raison !!!

À peine quinze minutes plus tard, nous distinguons *L'Exode*, éclairé de mille feux, émerger de la nuit boréale. Le bateau est complètement isolé dans la noirceur, coincé au milieu de la banquise, comme un fantôme surgi de la nuit. Il est illuminé par de puissants spots dispersés sur la glace autour de lui, qui diffusent une lumière bleutée sur le bateau. Les hublots scintillent telles des étoiles. Plusieurs personnes vont et viennent sur le pont principal : on dirait des spectres sur une épave qui aurait été abandonnée là. Ces gens, emmitouflés de la tête aux pieds, semblent vaquer à leurs occupations malgré le froid intense.

À notre approche, c'est le branle-bas de combat sur le pont. Arlène propose à Maude de se poser directement sur la passerelle d'atterrissage du brise-glace. Son propre appareil se dirige vers la banquise, à proximité du bateau. Maude exécute la manœuvre en douceur, avec une précision d'horlogère.

Une dizaine de personnes entourent l'espace d'atterrissage. J'ai beau regarder, je ne vois pas ma mère, mais il faut admettre que tout le monde est tellement emmitouflé qu'il est difficile de distinguer les visages. Sous les projecteurs du bateau, c'est comme si nous étions des stars qui débarquent pour le lancement d'un film. Il ne manque que les photographes.

Vêtus de nos grosses doudounes, nous mettons pied à terre. Nous saluons quelques inconnus avant de voir apparaître un visage qui nous est plus familier.

Une chose est sûre, Seger est beaucoup plus grand dans la réalité qu'en photo. Le capitaine ne doit pas être loin des six pieds et demi !

— Ça a d'l'air que vous allez organiser un party de famille à bord ! dit-il en souriant. Bienvenue sur *L'Exode*. Je vous suggère de rentrer si vous ne voulez pas geler sur place. On nous a bien annoncé du plein soleil mais… pour dans trois mois ! annonce le capitaine pince-sans-rire.

Nous suivons notre hôte, qui nous fait traverser le pont. Arlène et son pilote nous rejoignent un peu plus loin en accédant au navire par une petite passerelle aménagée entre le bâtiment et la banquise.

Je saute dans les bras de ma tante. Ça me fait tellement du bien de la revoir.

— Hey, il me semble que ça ne fait pas si longtemps qu'on est séparées ! ironise-t-elle en m'enlaçant.

— Comment t'as fait pour retrouver maman si vite ? Tu ne savais pas plus que nous où elle était !

— Disons que nous avions gardé un contact discret en passant par plusieurs intermédiaires. C'est grâce à cette méthode que j'ai pu lui commander la tempête le soir du vol au Casino. Jusque-là, je n'avais pas souhaité connaître sa position exacte par sécurité.

— Qu'est-ce que tu veux dire ?

— Je ne voulais pas risquer de cracher le morceau si Atmospheric Energies me mettait le grappin dessus.

— Mais après le cambriolage…

— Il a fallu que je me mette à couvert pour quelque temps. Je me suis dit que je serais plus utile ici qu'à me planquer au fin fond de la pyramide de Khéops. Ta mère était de cet avis là aussi.

Mon père et David saluent Arlène à leur tour.

Lorsque Arlène aperçoit Simon, son regard devient plus grave.

— Vous, ici ?

— On va t'expliquer, dis-je à ma tante. C'est un ami. Sans lui, nous ne serions jamais arrivés jusqu'à vous.

Maude, qui est derrière, écarte Simon délicatement pour se frayer un passage jusqu'à sa compagne de toujours.

Les deux femmes se serrent l'une contre l'autre. Même si elles ne sont pas du genre à faire de grandes effusions en public, on remarque facilement l'immense tendresse qui les lie toutes les deux.

Je sais que ce n'est pas très poli, mais j'interromps Maude et Arlène, j'ai vraiment trop hâte.

— Où est-elle ?

— Elle doit être morte de stress, enfermée dans sa chambre, répond Arlène. Ta mère est comme ça depuis que Pewatook nous a appelés pour signaler votre présence.

Nous nous faufilons tous à l'intérieur du navire. Aussitôt, une agréable chaleur nous submerge. Arlène m'indique un long couloir à ma droite.

— Au fond du couloir, la cabine à gauche, précise-t-elle.

Je regarde mon père. Il me sourit. Il sait que je veux y aller seule. J'attends ce moment depuis si longtemps. Pendant plusieurs années, j'ai cru que ma mère était morte, disparue dans un accident de bateau. Pendant tout ce temps, j'ai cru qu'il ne me serait plus possible de continuer mon existence en sa compagnie. Lorsque j'ai rencontré ma tante Arlène, tout a basculé. Ma mère n'était pas morte, elle se cachait. Dès cet instant, il m'a été permis d'espérer revivre avec elle, comme avant. Aujourd'hui, je la retrouve enfin. Après tout ce temps passé à espérer, je ne peux m'empêcher de frissonner en pensant aux instants qui vont suivre.

Je suis plantée devant la porte de sa chambre. Je jette un dernier regard au reste du groupe. Maude me fait signe d'y aller. Je respire un grand coup.

J'ouvre la porte.

J'entre dans une petite pièce sombre, tout juste éclairée par une lampe de chevet. Mes yeux prennent quelques secondes à s'habituer à la pénombre. Lentement, je distingue une silhouette, au fond, appuyée sur le rebord d'un bureau et sommairement éclairée par la lumière des projecteurs extérieurs qui traverse le hublot. Je reconnais son allure immédiatement. Elle est la même que dans mon souvenir. Une grande dame mince, élancée, les cheveux blonds jusqu'aux épaules, un jeans et un gros pull à col roulé. J'ai l'impression de l'avoir quittée hier. Et pourtant…

Ma mère est là, debout, tournée vers la petite fenêtre ronde. On dirait presque qu'elle a peur de bouger.

Je m'approche doucement. Elle sait que je suis derrière elle. Elle ne bouge pas. J'avance tranquillement. Je sens son odeur à mesure que je la rejoins. Je pourrais la toucher du bout des doigts. Encore quelques pas. J'ai besoin d'être plus proche, de la frôler.

Je suis tout juste derrière elle.

Très doucement, comme pour ne pas perturber l'air ambiant, je place ma main sur la sienne, qui est appuyée sur le bureau. Mes doigts s'entrelacent aux siens. Je sens sa chaleur dans ma paume. Mon bras s'appuie sur le sien. Nous avons toutes les deux la chair de poule.

Tout à coup, comme à l'annonce d'une grosse pluie, une goutte d'eau vient s'écraser sur le bureau en éclaboussant ma main.

Mon regard remonte à la source tranquillement. Je distingue à peine le contour du visage de ma mère. Je vois scintiller une autre goutte de pluie sur le bord de sa paupière. Elle n'ose pas tourner les yeux. Elle ne me regarde pas, mais fixe nos mains emmêlées.

— Tu ne peux pas imaginer la peur que j'ai de te regarder… après toutes ces années, murmure une voix presque imperceptible.

Mes doigts caressent délicatement les siens. Je veux qu'elle parle encore.

— Je n'ai pas fait ce qu'il fallait.

— Tu n'as rien à te reprocher, dis-je tout doucement.

— Je ne t'ai pas vue grandir, je n'étais pas là. Tout ce temps qui s'est écoulé est sur le point de m'être envoyé en plein visage, je… je crois que je n'aurai pas la force de te regarder.

Mes doigts se font plus fermes. Je saisis la main de ma mère pendant que je pose l'autre sur sa taille. Comme si je l'invitais à danser, je la fais lentement tourner sur elle-même pour qu'elle se place face à moi. Je redresse son visage.

Ma mère me contemple, le bonheur sur les lèvres, des larmes dans les yeux.

— Tu m'as tellement manqué…, bredouille-t-elle en m'enlaçant.

Je me blottis tout contre elle, j'ai l'impression d'être petite à nouveau. Nous sanglotons toutes les deux. Cet instant, je le garderai pour moi, toujours.

— *En résonance, au nord changeant, d'infimes vagues de courant s'imbriqueront*, dis-je à voix basse en enlaçant les doigts de ma mère.

Elle serre ma main dans la sienne.

— *... et, comme des tissus usés, formeront une nouvelle mosaïque climatique...*

— *... pour un avenir plus clément.*

Nous restons ainsi de longues minutes. Sans rien dire, sans oser bouger. Enlacées, en respirant à peine.

Ma mère chuchote :

— Durant toute sa carrière, mon père s'est voué à son travail dans l'armée, il voulait aider les gens dans le besoin. Aider, toujours aider. Au point de négliger sa propre famille. Sans m'en rendre compte, j'ai fait exactement les mêmes erreurs. J'ai fait passer mon travail avant vous. J'aurais dû trouver une autre solution…

— Tu voulais nous protéger. C'est différent. Tu as fait ce qu'il fallait.

Après un long moment, ma mère me repousse légèrement.

— Tu as tellement grandi, s'exclame-t-elle en m'observant.

— J'ai hâte de te présenter mon copain !

— Tu as un petit ami ?

— Il n'est pas si petit que ça.

Ma mère sourit.

— Qui est venu avec toi ?

— Papa, évidemment, Maude, la copine d'Arlène…

— Elle m'en a beaucoup parlé.

— Simon aussi, ton ancien professeur.

— Simon est là ! s'étonne ma mère, heureuse de la nouvelle.

— Et mon copain David.

— Ton copain ? Ses parents étaient d'accord ?

— Il est capable de prendre ses décisions tout seul, dis-je en riant.

Ma mère ne relève pas ma remarque. Elle me regarde, intriguée.

— Si vous êtes arrivés jusqu'ici, ce n'est pas pour m'annoncer de bonnes nouvelles, n'est-ce pas ? estime-t-elle sur un ton plus grave.

Je fais signe que non.

— Atmospheric Energies a mis la main sur le code source du projet Tesla. Nous avons tout essayé pour les en empêcher, mais un de leurs hommes est particulièrement astucieux, je ne…

Ma mère met son doigt sur ma bouche. C'est bizarre, elle ne semble pas si étonnée par ma nouvelle.

— Je sais que vous avez fait de votre mieux. Il y avait un risque en laissant une copie à Montréal. L'important, c'est que vous vous en soyez sortis indemnes.

— Papa s'est tout de même fait amocher par ton ancien collègue, Wahlberg. Je crois qu'il va préférer t'en parler lui-même.

— Je comprends, répond ma mère, sereine.

Je suis quelque peu intriguée par son attitude imperturbable. Je lui annonce de grosses nouvelles et c'est à peine si elle semble surprise.

— En tout cas, tu n'as pas l'air trop inquiète !

— En fait, nous savions qu'Atmospheric s'apprêtait à faire des tests avec leur système...

— Vous saviez qu'ils avaient récupéré le code source ?

Ma mère semble hésiter.

— Non... c'est que... ce n'est pas ce que je voulais dire. On supposait que la société finirait par trouver le moyen de faire fonctionner le système. J'imagine qu'ils vont faire des tests sur une cible quelconque.

— Pas juste des tests, maman ! Les cinq plus grosses pétrolières au monde sont associées sous le nom de PREOS. Ce groupe a chargé Atmospheric Energies d'utiliser leur système sur le Québec. Ils veulent ainsi démontrer leur puissance et influencer le vote sur le projet de loi que s'apprête à déposer le gouvernement au sujet de la consommation des véhicules. Maintenant qu'ils ont le code source, ils vont être capables de faire fonctionner leur système très rapidement.

— Et Edmund n'aura pas le choix de les aider, dit ma mère évasivement.

— Forcément, il travaille pour eux !

— Cette signature a lieu prochainement, n'est-ce pas ?

— Comment le sais-tu ?

— Nous avons détecté une vibration anormale dans l'iono-sphère depuis quelques heures, exactement le même type de

phénomène que nous créons quand nous utilisons notre installation.

— Atmospheric Energies est donc déjà en train de charger
l'atmosphère pour modifier le climat ?

Malgré son inquiétude, ma mère sourit.

— Je vois que Simon t'a bien expliqué comment ça
fonctionne !

— C'est un bon prof.

— Je suis d'accord !

Ma mère reste silencieuse, plongée dans ses pensées.

— J'aurais aimé que nos retrouvailles se passent sous un
meilleur jour, marmonne-t-elle.

Elle reprend presque aussitôt le fil de ses pensées.

— Il faut alerter les autorités. Elles doivent mettre la
capitale nationale sous surveillance météo et être prêtes à
la faire évacuer si ça devient trop dangereux.

— Simon m'a dit qu'il y avait un risque de cafouillage…

— La situation pourrait bien leur échapper plus vite que
prévu.

— Mais ton invention sert précisément à contrôler le
climat, pas à en perdre le contrôle, non ? dis-je, inquiète.

— Oui, mais il nous a fallu beaucoup d'expériences avant
d'en arriver à une maîtrise réelle. La nature ne se laisse pas
dompter du jour au lendemain.

Je ne peux m'empêcher de penser à mon amie Natacha, qui
est isolée quelque part dans un chalet en pleine montagne.

— Ce sera impossible d'évacuer tout le monde à temps !
On ne connaît même pas l'ampleur de la catastrophe qui
pourrait arriver.

— C'est pourquoi il ne faut pas perdre de temps, s'alarme
ma mère en s'apprêtant à sortir.

Je la rattrape par la manche.

— Attends !

Ma mère se retourne.

— Parle à papa. Il a besoin de tirer certaines choses au
clair.

Ma mère m'interroge du regard.

— Je n'avais pas l'intention de l'ignorer, Lucie ! J'avais
tout aussi hâte de le revoir que toi !

— Alors reste ici, je vais lui dire de venir.

Ma mère ne sait pas trop à quoi s'en tenir. Elle accepte ma
proposition.

Je serre ma mère une dernière fois dans mes bras avant
de céder la place à mon père.

Quand je sors de la cabine, il n'y a plus personne dans le
couloir, mais j'entends des voix provenant d'une salle un peu
plus loin. Je me faufile dans le couloir exigu du bateau en
jetant des coups d'œil furtifs dans les différentes pièces que
je croise. J'arrive finalement dans une salle légèrement plus
spacieuse que les autres, littéralement remplie d'ordinateurs.
Toute notre équipe est rivée devant les écrans.

Aussitôt que j'arrive, Seger me présente. Les gens qui
travaillent ici sont de toutes les nationalités : canadienne,
coréenne, anglaise, espagnole. Il règne dans cette pièce une

fébrilité assez étrange. On m'offre une tasse de café bien chaud. J'invite mon père à aller retrouver ma mère dans sa cabine. Il ne se fait pas prier.

Simon, en discussion avec un certain Ramón, a l'air particulièrement préoccupé par ce qu'il observe sur les écrans. Pour ma part, c'est un ramassis de données incompréhensibles.

— C'est totalement démentiel ! lance notre journaliste. Ils ne peuvent pas continuer à augmenter la charge électrique pendant plusieurs heures !

— Techniquement, ils le peuvent. Le problème est que plus la charge est importante, plus les résultats sont difficiles à gérer ! répond l'homme assis devant un ordinateur.

— De quoi parlez-vous ?

Simon me montre un écran.

— La ligne médiane qu'on voit sur ce graphique, Lucie, est la charge électrique normale de l'ionosphère. Il est possible que cette ligne se mette à bouger légèrement lors d'orages magnétiques d'origine solaire, car la structure électrique de l'ionosphère est variable. Maintenant, regardez l'autre écran, propose Simon.

La seconde image montre une ligne diagonale qui monte vers le haut.

— La charge électrique de l'ionosphère actuellement, je suppose ?

— Exactement, répond Ramón. Et ce n'est pas causé par un orage magnétique !

— En pratique, qu'est-ce que ça veut dire ? dis-je en craignant la réponse.

— Atmospheric Energies est en train d'amplifier de l'énergie dans l'ionosphère pour balancer un blizzard sur la province, explique Simon, inquiet.

— Le problème est qu'ils en amplifient beaucoup, rétorque le scientifique. S'ils continuent comme ça, on pourrait parler de millions, voire de milliards de watts. Avec une charge pareille, le système risque de devenir particulièrement instable et les modifications climatiques qu'ils s'apprêtent à lancer seront complètement imprévisibles.

— C'est-à-dire ?

— On pourrait craindre un bouleversement climatique irréversible.

Chapitre 12

Cela fait près d'une demi-heure que nous sommes assis dans la salle qui sert de réfectoire à l'équipage. Nous avons convenu qu'une réunion d'urgence avec tout le monde était nécessaire. Seuls Maude et le cuisinier sont allés faire un tour en cuisine.

Mes parents finissent par arriver. Mon père a un sourire radieux, on dirait un petit enfant qui vient de recevoir le cadeau qu'il avait demandé pour Noël. Tous les deux ont les yeux rouges. Ils se tiennent main dans la main. Je commence à croire que tout ce qu'a pu imaginer mon père sur Wahlberg et ma mère n'était que fabulation.

Ma mère semble surprise de nous voir tous réunis.

— Qu'est-ce qui se passe ? Vous faites une de ces têtes !

Catherine passe saluer chaleureusement son ancien professeur, qu'elle remercie d'être venu, puis rencontre un garçon qu'elle ne connaît pas et qui est assis à côté de moi.

— Euh… bonjour, baragouine-t-elle en tendant la main à David.

Il se lève et lui rend son salut.

— Je te présente David, dis-je à mon tour. Mon amoureux.

J'ai l'impression de jeter un pavé dans la mare. Les yeux de ma mère sont écarquillés.

— Lucie, c'est un… enfin, il est…

— Un policier de notre quartier. Il nous a sortis de bien des situations fâcheuses. J'ai trouvé qu'il faisait plutôt un bon parti, non? dis-je en rigolant pour détendre l'atmosphère.

— Mais Lucie, vous n'avez pas le même âge! s'exclame ma mère en jetant un regard désapprobateur à mon père.

Celui-ci hausse les épaules, l'air désinvolte.

— Hé, elle a grandi! Elle est capable de prendre ses responsabilités!

Je suis heureuse de constater que mon père me prend enfin pour une adulte. Pour ce qui est de ma mère, par contre, il reste du travail à faire. La situation est quelque peu embarrassante, devant tout le monde. Contre toute attente, Simon nous sort du pétrin.

— Je ne voudrais pas gâcher vos retrouvailles, mais le temps presse. Il y a des choses plus importantes à régler.

Ma mère s'assied à la table, prête à prendre les choses en main.

— Alors, vous savez comme moi qu'Atmospheric a mis la main sur le code source. Il est très probable que les dirigeants testent leur système sous peu.

Voyant qu'il manque des informations à ma mère, Simon se charge de la mettre au diapason.

— Ils ont déjà commencé, Catherine. Le processus d'amplification d'énergie qui a été détecté est tellement important qu'il risque de provoquer une surcharge et devenir incontrôlable. Il faut intervenir rapidement.

— Nous allons communiquer avec les autorités canadiennes. Le gouvernement va devoir procéder à des évacuations de masse, surtout dans la région de la capitale nationale.

— Ils n'arriveront pas à évacuer tout le monde, maman ! Ils n'auront pas assez de temps.

Simon semble également sceptique.

— Catherine, le gouvernement a déjà reçu une lettre de menaces de PREOS. Personne n'a pris ça au sérieux. La raison en est toute simple : personne ne s'attend à une menace climatique !

Simon s'arrête un instant pour mettre de l'ordre dans ses idées, puis reprend.

— Ce que vous faites ici, le projet Tesla, la résonance de Schumann, tout ça, c'est de la science-fiction pour le commun des mortels ! Si je n'avais pas eu le temps d'éplucher tes dossiers en long et en large, je n'y aurais jamais cru, moi non plus !

— Où voulez-vous en venir ? demande ma mère.

— Tu ne peux pas simplement appeler les autorités du Canada et leur dire d'évacuer la province, parce que dans deux jours, une partie du pays risque de retomber dans une nouvelle ère glaciaire ! Ils vont croire à un canular !

— Dans ce cas, prévenons les autorités américaines pour qu'ils mettent Atmospheric Energies sous surveillance !

— Le problème reste le même, intervient David, et puis de telles démarches risquent d'être longues et complexes. Il vous faudrait l'appui des services de police du Canada pour faire une telle demande. Ce n'est pas gagné d'avance.

— Alors quoi ? peste ma mère. On reste les bras croisés ? Je n'ai pas mis au point cette technologie pour la voir ravager mon propre pays !

Je dépose ma main sur celle de ma mère, qui s'est assise à côté de moi.

— Simon, peut-être que vous devriez expliquer à ma mère la solution à laquelle vous aviez pensé ? dis-je à mon tour.

Tout le monde a les yeux rivés sur l'ancien professeur de ma mère.

— Eh bien, lance-t-il en se redressant sur son siège comme s'il allait commencer une heure de cours, il y a peut-être un moyen. Pourquoi ne pas utiliser votre système pour contrecarrer la tempête que va lancer Atmospheric ? Dans l'introduction du projet de Catherine, on souligne que le projet Tesla est avant tout conçu pour endiguer les situations climatiques extrêmes qui mettraient des populations en péril, non ?

Ma mère secoue la tête négativement.

— Exact, Simon, mais nous ne sommes pas préparés à affronter une tempête comme celle qui se prépare et qui dépasse de loin ce que la nature réalise elle-même ! Depuis des années, nous observons de près la progression d'Atmospheric. La puissance dont ils disposent aujourd'hui dépasse largement ce que nous pouvons produire avec notre installation de fortune, même en étant situés tout près du pôle magnétique.

— Et si nous étions capables de diminuer leur production d'énergie ionosphérique ? propose le journaliste.

— Le seul moyen serait de couper leur source d'énergie terrestre, celle qui leur permet d'envoyer les impulsions électriques dans l'ionosphère, explique Ramón. Leur système passerait probablement sur un système de secours, mais il n'aurait plus assez d'alimentation pour amplifier autant d'énergie qu'ils le font en ce moment. Or pour qu'une tempête comme celle qu'ils préparent se maintienne, elle a besoin d'un afflux constant d'énergie. Ça nécessite, par contre, une opération sur place, et leur site est à plus de deux milles kilomètres d'ici !

— Impossible de nous déplacer aussi vite avec le brise-glace, lance Seger du bout de la table.

— Mais, en hélicoptère, c'est faisable, rectifie Maude, qui arrive de la cuisine les bras chargés de victuailles.

Arlène se lève de table et quitte la pièce pour y revenir presque aussitôt avec un gros dossier. Elle le dépose sur la table et en sort plusieurs photos.

— D'après ce que nous en savons, Atmospheric Energies s'est installé là à cause des importantes réserves de gaz qu'il y avait dans le sol. Une petite centrale à proximité de leur site convertit le gaz en électricité et fournit exclusivement la société, explique ma tante en pointant les installations sur des photos satellites. Si nous sabotons leur arrivée électrique, ils n'ont plus d'énergie.

— Or ce genre de travail est tout à fait à notre portée, précise Maude en donnant un petit coup de coude à sa compagne.

Ma mère reste très sceptique.

— Je ne doute pas de vos compétences, les filles, mais admettons qu'on les mette «hors circuit» pour cette fois et qu'on parvienne à stopper leur tempête… Nous ne faisons que retarder leur action! Ils répareront la centrale et feront pire la prochaine fois!

— C'est le cœur de l'entreprise qu'il faudrait saboter, dis-je en ayant une idée derrière la tête.

— Ne compte pas sur moi pour faire exploser des bâtiments dans lesquels il y a des gens, m'avertit Maude en me regardant sévèrement.

— Ce n'est pas ce que je voulais dire.

Ma mère se tourne vers moi.

— Lucie, ne te mêle pas de ça. On va trouver une solution.

Je m'offusque de sa réaction. Je ne suis plus une petite fille. J'ai fait mes preuves!

— Maman, je n'ai plus dix ans, OK? Je…

— Lucie, s'il te plaît, on est capables de régler ça!

Mon père intervient à son tour. Il enlace ma mère tendrement.

— Laisse-la parler. Elle veut juste exposer son idée.

Ma mère soupire.

— Bon…Vas-y. À quoi tu penses, exactement?

— À un virus informatique!

Ma tante, sachant de quoi je suis capable, est intriguée.

— Peux-tu nous en dire plus ?

— Je me trompe peut-être, mais une société comme Atmospheric, qui travaille sur un projet aussi secret, doit fonctionner avec un réseau Intranet, qui n'est pas accessible sur la toile. Ça veut dire que la société ne doit pas craindre les pirates informatiques et n'investit que très peu dans sa protection électronique. Il serait donc assez facile d'implanter un virus dans leur système. Il grugerait toutes les informations sur leurs différents postes. Ça sous-entend toutes les données qu'ils ont pu nous voler sur le projet Tesla. En gros, ce serait comme formater l'entreprise au complet. Tout revient à zéro ! Leur installation n'est plus utilisable et ils n'auraient plus jamais de quoi la remettre sur pied.

— L'idée est bonne, admet Ramón, mais elle suppose de faire entrer un virus de l'intérieur de l'entreprise.

— Si, de toute manière, on se rend jusqu'à la centrale, on n'est plus très loin ! Ce n'est qu'une question de « porte » à ouvrir. L'entreprise a forcément une connexion Internet. La différence avec d'autres, c'est que le cœur d'Atmospheric Energies n'est pas accessible à partir de la toile. Toutes les portes sont fermées. En accédant à un poste informatique sur place, il suffit d'ouvrir une porte, d'établir un pont entre le Web et le serveur de l'entreprise, et il ne reste qu'à faire entrer un virus.

— Et tu le sors d'où, ton virus ? ironise ma mère.

— Je peux en trouver un en quelques minutes, il suffit de savoir ce qu'on cherche, sur le Net. Il faut trouver un ver destructeur et l'envoyer à tous les postes de l'entreprise.

— Et après ? questionne Arlène. C'est tout ce qu'il faut faire ?

— C'est le principe du ver ! Il va s'infiltrer tout seul dans les ordis via leur réseau et effacer tous les disques durs des ordinateurs de l'entreprise. Résultat : un beau plantage général et plus aucune donnée nulle part.

Ma mère s'appuie sur le dossier de son siège.

— Vous pensez pouvoir faire ça, mesdames ? demande ma mère à Maude et à Arlène.

Les deux amies se regardent, dubitatives.

— C'est que…

Maude ne sait pas trop comment tourner sa phrase.

— Enfin, nous, l'informatique… On pensait que Lucie nous accompagnerait !

Ma mère pâlit d'un coup.

— Elle est plutôt efficace dans ce genre de job, argumente Arlène. Sans elle, au Casino, on ne s'en sortait pas !

— Vous n'imaginez tout de même pas que je vais autoriser Lucie à faire une opération d'infiltration avec vous ! proteste-t-elle.

— Maman, avec Arlène et Maude, je n'ai rien à craindre. Et puis, ce n'est tout de même pas si terrible. Il nous suffit d'entrer dans le bâtiment et de trouver un ordi pour implanter le virus. On a déjà fait bien pire que ça !

— Lucie, je n'ose même pas imaginer ce que tu as déjà fait en compagnie de ta tante, mais je ne t'autoriserai pas à courir des risques pareils. Je viens tout juste de te retrouver, je n'ai pas envie de te perdre une nouvelle fois ! J'ai des gens suffisamment qualifiés pour aller là-bas et s'en occuper.

Mon père, contre toute attente, décide de plaider en ma faveur.

— Catherine, tu vas avoir besoin de tout ton personnel pour lutter contre ce qui s'en vient. Je crois que tu devrais laisser Lucie faire ce qu'elle a à faire.

Ma mère se redresse d'un bond.

— Sidney, as-tu perdu la tête ? Lucie a tout juste quinze ans ! Tu l'as laissée participer à des coups organisés par Arlène et elle sort avec un garçon majeur ! Qu'est-ce qui s'est passé durant mon absence ? Il y a quelque chose qui m'échappe !

— Peut-être a-t-elle simplement grandi… propose mon père.

Ma mère sort de la salle, contrariée.

Seuls les bruits du bateau sont perceptibles dans la salle. Plus personne n'ose bouger. Je me lève à mon tour, décidée à parler à ma mère en privé. David m'attrape la main.

— Si ça peut aider à convaincre ta mère… je viens avec vous.

Je souris à mon ami, acceptant son offre avec plaisir.

Un peu plus loin dans le couloir, ma mère est adossée à la porte d'entrée de la salle d'ordinateurs où nous étions tout à l'heure. Elle est plongée dans ses pensées.

— Je ne peux pas te laisser faire ça, Lucie ! Je sais que tu es grande, mais une mère ne peut pas autoriser sa fille de quinze ans à faire ce genre d'escapade.

— Je suis plus une enfant ! Arlène et Maude sont mieux que des anges gardiens, et David m'a confirmé qu'il venait avec nous.

— Il pourrait implanter le virus, lui ! Il est policier, il doit pouvoir se servir d'un ordinateur, non ?

— Maman, ma meilleure amie est coincée dans un chalet près de Québec à cause de moi. J'ai eu beau essayer de la prévenir de ce qui s'en vient, rien n'y fait. Je n'ai pas l'intention de rester ici les bras croisés à écouter la météo à la radio ! Et puis, David n'a jamais fait ce genre de manipulation, il peut échouer.

— Dans ce cas, c'est le temps de lui donner une formation accélérée. C'est David qui accompagnera Arlène et Maude, lance ma mère en repartant vers la salle de réunion.

— Mais je suis meilleure que lui !

— C'est trop risqué, Lucie, désolée.

Chapitre 13

Je suis sur le pont de *L'Exode*, emmitouflée dans une épaisse doudoune qui ne laisse dépasser que mon nez et mes yeux. J'avais besoin de prendre l'air. Plusieurs personnes s'activent dans la lumière bleutée qui englobe le navire. Des membres de l'équipage sont en train de déglacer les rangées d'antennes disposées sur le pont. Un peu plus loin, Maude et Arlène sont occupées à charger l'hélico pour l'expédition qui se prépare. Je ne peux pas concevoir de les laisser partir seules, mais je ne veux pas non plus contredire ma mère. Ça fait trois ans qu'on ne s'est pas vues, on ne va tout de même pas déjà se chicaner. J'essaye de me mettre à sa place. Sa réaction, je la comprends. N'importe quelle mère interdirait à sa fille de participer à un coup comme celui-là. Jusqu'à quel âge les parents ont-ils raison ? Jusqu'à quel âge suis-je sa fille ? Je veux dire, sa petite fille ?

Mon père vient s'accouder à la balustrade à côté de moi.

— Comment tu te sens ?

— Inutile, dis-je, bougonneuse.

— Faut la comprendre, t'es toujours celle qu'elle a quittée il y a un peu plus de trois ans.

— Ça va durer combien de temps, d'après toi ?

Mon père hausse les épaules.

— Ça peut être long.

— Tu le sais que je serais plus utile avec Maude, plutôt qu'à regarder des écrans, non ?

— Ce n'est pas moi qu'il faut convaincre, Lucie.

— Mais tu peux plaider en ma faveur ?

Mon père secoue négativement la tête.

— Je viens tout juste de retrouver la femme que j'aime. Je l'ai accusée à tort d'avoir eu une relation avec un autre. Je me suis trompé. Notre relation peut repartir sur de belles bases. Je n'ai pas envie d'entamer un conflit pour ça, Lucie. Pas maintenant. Ta mère a raison, David peut se charger de cette mission.

Je soupire.

— Qu'est-ce qu'elle t'a raconté à propos de Wahlberg ?

— Pendant tout un temps, ils ont été des collègues assez proches… en toute amitié, je veux dire. Wahlberg a fini par prendre ses distances sur le projet et a préféré travailler pour la concurrence, qui pouvait lui offrir plus. Ils ne se sont pas quittés en mauvais termes, c'est juste que les conditions financières étaient plus intéressantes ailleurs. Ta mère a fait jurer à Wahlberg de ne pas révéler leur collaboration et de travailler sous un autre nom pour qu'aucun lien ne soit fait entre lui et Catherine.

— Je me demande quand même si maman savait qu'il te tirerait dessus !

— Ça n'a pas paru la choquer beaucoup. Elle est convaincue que quelqu'un a dû lui forcer la main, qu'il n'a pas eu le choix.

— Étonnant, tout de même, que Wahlberg soit passé de l'autre côté. C'est en partie lui qui a monté cette expédition avec Seger. Ses parents disaient qu'il s'impliquait à fond dans ses projets. Ils connaissaient mal leur fils !

Mon père ne semble pas intrigué.

— L'argent nous pousse à accomplir des choses étonnantes, parfois… Je te rappelle qu'il n'y a pas si longtemps on vendait des alibis…

Je reste songeuse.

— Quand est-ce que Maude et Arlène sont supposées partir ?

— D'ici une heure ou deux, elles ont pas mal de vol à faire. Tu devrais aller voir David pour lui expliquer ce qu'il doit savoir. Il est dans sa cabine.

— Tu veux dire dans notre cabine ?

— Maman a demandé que tu t'installes dans la même chambre que nous.

C'est désespérant, j'ai l'impression de reculer trois ans en arrière.

— Mais papa, ça fait trois nuits que je dors avec lui !

— Lucie, donne-lui du temps… d'accord ?

— Papa, j'ai évolué. Je ne vais tout de même pas me mettre à rejouer à la poupée ! dis-je furieusement.

— Je te demande juste de ne pas briser le semblant d'harmonie que nous venons de retrouver au sein de notre famille.

— Au sein de notre famille… ou au sein de votre couple ?

▲ ▼ ▲

Je vais faire un tour près de l'hélico de Maude, je n'ai pas envie de céder trop vite ma place à David. Les deux femmes s'affairent à charger du matériel dans la soute de l'hélicoptère. Maude me voit arriver la mine basse.

— À te traîner les pieds comme ça, tu vas finir par user le pont du bateau ! lance-t-elle en souriant.

— Mes parents se sont ligués contre moi !

— Voyons, Lucie, c'est pour ton bien, rétorque Arlène, qui termine d'empaqueter deux gros sacs.

— Justement non, j'ai plutôt l'impression que c'est pour *leur* bien.

— La réaction de ta mère est naturelle, Lucie. Il ne faut pas lui en vouloir, ajoute Maude.

— Évidemment que je ne peux pas lui en vouloir ! Mais j'ai l'impression, depuis quelques heures, d'être retombée dans la peau d'une petite fille qui attend qu'on la prenne par la main. J'haïs ça !

Arlène coupe court à mon chialage pour en revenir à un thème plus terre à terre.

— J'ai besoin de tes services.

— Pour ?

— Nous avons trouvé les références de l'entreprise de distribution d'électricité qui s'est occupée de l'installation de la centrale d'Atmospheric. Nous devons nous faire passer pour des travailleurs de cette entreprise afin de faciliter notre entrée chez Atmospheric.

Je suis toujours fascinée par la déconcertante facilité avec laquelle ma tante trouve des informations lorsqu'elle monte un coup.

— Arlène voudrait que tu trouves leur logo sur Internet et que tu imprimes des cartes fictives que nous pourrions porter sur les combinaisons de travail que nous a prêtées Seger. Question de crédibilité…, explique Maude.

— Facile ! Autre chose ?

— Est-ce que David sera prêt à temps ? questionne ma tante.

— Je dois lui expliquer les grandes lignes de la mission, j'imagine qu'il n'y aura pas de gros problèmes.

— T'imagines ? interroge Maude.

— Je ne peux pas prédire à quel type de difficulté il risque de faire face quand il sera sur leur serveur. On ne connaît rien de cette entreprise, si ce n'est les photos satellites que nous avons vues. Je peux lui montrer en théorie en quoi consiste la manipulation, mais dans la pratique, s'il y a un problème, j'en serai réduite à le guider par communication radio.

Arlène, toujours aussi pointilleuse dans sa stratégie, ne semble pas très satisfaite.

— Je n'aime pas avoir une telle part de hasard dans les coups que je monte. Ça met l'équipe en péril.

— Arlène a raison. T'es sûre qu'on ne peut rien faire de plus pour assurer nos arrières ? demande Maude.

Je secoue la tête négativement.

— Je vais essayer de préparer David le mieux que je peux.

Maude regarde Arlène, comme si elle cherchait une solution dans l'expression de ma tante, puis revient sur moi.

— Tu sais Lucie, pour ton problème… ce n'est pas dans le regard des autres que tu dois te sentir adulte, c'est en toi-même. Me semble qu'être adulte, c'est être capable de prendre les bonnes décisions au bon moment et d'assumer ses actes.

▲ ▼ ▲

Prendre les bonnes décisions, assumer ses actes… C'est facile à dire, pour Maude. J'ai l'impression d'être prise entre deux feux. Une part de moi-même est toujours la petite fille obéissante, et sur ce point, ma mère n'a pas tort. L'autre part me dit de foncer, de n'écouter que mon bon sens et d'être là où est vraiment ma place. Si seulement je pouvais me départir de la première…

J'arrive dans la cabine de David après avoir passé une trentaine de minutes sur le seul poste Internet du bateau pour bricoler les cartes d'identification. Mon ami est de dos, avachi à un minuscule bureau devant mon ordinateur. Je pourrais presque croire qu'il s'est enfin endormi.

— Pas mécontent de te voir, soupire-t-il sans même se retourner. J'ai hâte que tu m'expliques comment ça marche.

J'enlève mon énorme doudoune et mes grosses bottes. J'hésite un instant… Me sentir adulte… une fois pour toutes… prendre les bonnes décisions…

Je retire mes chaussettes et détache un à un les boutons de ma veste de laine. David est toujours penché sur mon ordi, il n'a pas remarqué ma manœuvre.

J'entrouvre ma veste pour laisser apparaître mon soutien-gorge et je me glisse sur la pointe des pieds derrière mon ami. Je ne sais pas si je m'y prends de la bonne façon, j'espère juste que ça aura l'effet escompté.

— Puis, Lucie, tu t'en viens ? interroge-t-il sans me voir.

Je place mes mains sur sa nuque et le caresse doucement pour le forcer à se retourner.

David fait pivoter la chaise et se retrouve face à face avec mon décolleté. Je lis toute une surprise dans son regard. Il ne dit rien.

J'en profite pour oser encore davantage : je laisse tomber ma veste.

David me prend par la taille et embrasse mon ventre tout doucement. Ça me fait frissonner.

Il remonte tranquillement pour finir sur ma bouche.

Je le tire doucement vers la couchette en lui faisant retirer son chandail.

David me susurre à l'oreille :

— Tu es sûre ?

Je hoche la tête.

— Plus que jamais.

Chapitre 14

Il y a de ces moments dans la vie qu'on sait d'avance qu'on n'oubliera pas. Pas parce qu'ils se déroulent parfaitement, comme dans un film, dans un décor magnifique, avec des individus splendides… Non. Mais plutôt parce que la manière dont nous les avons vécus est le reflet de nous-mêmes. Un peu maladroite, un peu comique même, mais tellement plus réelle.

L'heure que je viens de passer avec David a été merveilleuse. Évidemment, on ne savait pas trop comment s'y prendre. On a beaucoup rigolé à se tortiller dans tous les sens comme des vers à chou. Par moments, j'ai eu un peu mal… lui aussi. David a même failli tomber de la minuscule couchette, ce qui a presque fini en fou rire. Mais globalement, je crois que pour une première fois, on s'en est plutôt bien sortis.

Je ne me suis jamais sentie aussi proche de quelqu'un que pendant ces moments passés dans ses bras, collée contre lui. Sur le coup, c'est comme si on était devenus un seul ver à chou.

Après ces doux instants, David s'est endormi. Je crois que la tension de ces derniers jours a laissé place à la grosse fatigue qu'il avait accumulée. J'avoue honteusement que c'est un peu ce que j'espérais. Ça va lui faire du bien de récupérer.

Pour ma part, je n'aurais pas pu rêver d'une meilleure situation.

Je me glisse hors des couvertures sans trop brasser mon copain. Je jette un coup d'œil sur le réveil pour me rendre compte que Maude et Arlène doivent être sur le point de décoller. Je me rhabille à toute vitesse sans faire de bruit et range mon ordinateur dans un sac de David. Plutôt que d'enfiler ma doudoune, j'attrape celle de mon ami et me couvre du capuchon.

Reste à espérer que je ne croiserai personne.

Il faut que je me faufile dans différents couloirs du bateau avant d'arriver à l'extérieur. Je ne croise que quelques membres de l'équipage qui ne sont pas au courant de mes manigances. Je les salue et m'esquive aussitôt.

À l'extérieur, le froid me fige un bref instant. C'est comme si L'Exode avait échoué sur une autre planète. Tout, autour du bateau, est d'un noir d'encre. Le navire semble déposé au milieu de rien, baigné dans la lumière scintillante des projecteurs. Une fine neige tombe lentement sur ce décor surréaliste comme une pluie de paillettes argentées.

Il faut que je traverse le long pont du brise-glace pour accéder à la plate-forme de l'héliport. Au loin, je vois Arlène occupée à déglacer le pare-brise de l'hélicoptère. Je me dirige vers elle d'un bon pas. Je sais que, par les fenêtres du poste de pilotage et de plusieurs autres cabines, je suis visible de tous. J'espère juste que l'illusion sera suffisante et que je passerai effectivement pour David.

Lorsque ma tante Arlène me voit arriver, elle ne peut s'empêcher un sourire complice.

— Tu grandis vite, Lucie !

— Trop vite aux yeux de certains ! dis-je en pensant à ma mère.

— Personne ne t'a vue ?

— Je ne pense pas. Où est Maude ?

— Avec Seger, occupée à récolter un maximum d'informations sur le site où nous devrons atterrir. Elle va arriver. Nous décollons dans cinq minutes.

Je pousse mon sac dans la cabine et vais m'installer à l'intérieur en laissant la porte ouverte. J'ai bien l'intention de mettre à profit ces quelques minutes avec ma tante.

— Maude t'a déjà parlé de son projet d'ONG ?

— Son quoi ?

Je me lance dans une explication exhaustive du projet de mon amie et de son souhait à moitié avoué d'y faire participer Arlène.

— Maude ne m'en avait rien dit.

— Je pense qu'elle a peur que tu refuses.

— Je n'ai pas dit oui.

— Ça vaut la peine d'y réfléchir ! Vous retrouver dans un pays éloigné, sous le couvert d'une ONG, c'est la planque idéale ! Et surtout, ça va vous permettre de vivre ensemble.

— Vivre ensemble, on a déjà essayé, rétorque ma tante, ça n'a pas été facile pour Maude quand je me suis retrouvée en prison.

— Mais qui te parle de te retrouver en prison ?

— Tout peut arriver.

Je lève les bras au ciel.

— Mais oui, forcément, tout peut arriver ! C'est pas pour ça que vous devez vivre malheureuses toutes les deux séparées l'une de l'autre. Il y a tout de même moyen de minimiser les risques, non ?

— Je continuerai cette discussion avec Maude, d'accord ?

Je devais m'y attendre, l'approche avec Arlène est plus difficile qu'avec Maude. J'ai pourtant l'impression d'avoir eu un petit effet bénéfique.

Maude arrive à la hauteur de l'hélico avec une carte roulée sous le bras et une grosse valise métallique à l'autre main. Elle me fait un petit signe en me voyant dans la cabine. Je pense qu'elle savait que je serais là.

Elle dépose une mallette chromée à côté de moi et la fixe à un siège avec des sangles.

— Tu as peur que notre lunch se renverse ou quoi ?

Maude me fait un petit sourire en composant un code de trois chiffres sur chacune des serrures de la mallette, puis ouvre celle-ci.

222

À l'intérieur, il y a plusieurs petits boîtiers ressemblant à des radios portatives, des espèces de cylindres métalliques et toutes sortes de câblages.

— C'est avec ça qu'on va faire sauter le pylône d'alimentation. Seger en gardait quelques-uns en stock pour briser la glace là où *L'Exode* ne passe pas.

Je m'éloigne de la valise.

— Ne t'inquiète pas, tant que ce n'est pas installé, c'est totalement inoffensif. Mais je préfère la ranger ici pour éviter aux détonateurs électroniques de subir des chocs dans la soute. Tu gardes un œil dessus, d'accord ?

Maude laisse la valise à mes côtés. Je ne suis pas trop rassurée.

Elle se met aux commandes.

— C'est bon, on est prêtes à partir, lance-t-elle en appuyant sur une série de boutons. Nous en avons pour plusieurs heures de vol et nous aurons besoin d'une étape de ravitaillement. Le plus logique aurait été d'aller faire le plein à Grise Fiord, mais je ne voulais pas courir le risque de retourner là avec la personne la plus recherchée au Canada à mon bord. Seger m'a conseillé Resolute Bay, une petite communauté plus à l'ouest qui fera l'affaire. Au fond, je ne sais pas ce qu'on lui reproche à ce capitaine, je le trouve plutôt sympa.

— Tu lui as parlé de Baptiste qui espérait un retour sur l'argent qu'il avait placé dans son entreprise ?

— Oui. Seger ne savait pas que Baptiste avait des soucis financiers. Il a mis de l'argent de côté grâce aux fonds « débloqués » par Arlène pour rembourser ses créanciers, mais

Catherine lui interdit de faire quoi que ce soit pour l'instant, de peur qu'une transaction bancaire soulève des soupçons.

Arlène vient s'asseoir à côté de Maude.

— Et comment on s'y prend, une fois sur place ? dis-je, curieuse.

Maude déplie sa carte.

— C'est un agrandissement des photos satellites de la région de Nuuk. Je vais me poser à quelques kilomètres de l'entreprise que nous visons. Il faudra ensuite dénicher un véhicule pour se rendre jusqu'au siège d'Atmospheric. Sur place, il faut que je trouve le pylône d'alimentation électrique afin de le mettre hors d'usage, après on s'occupe d'entrer dans le bâtiment.

— Ça n'a pas l'air si compliqué.

— Avec le peu d'informations dont nous disposons, c'est probablement un des coups les plus difficiles que j'aurai à réaliser, précise Arlène. Ne te fie pas aux apparences.

— Merci de me rassurer.

— On ne t'oblige pas à venir, Lucie.

— Évidemment que je suis obligée de venir. Tu le sais très bien. On décolle, là, ou on va placoter encore dix minutes ?

Maude commence à mettre le rotor en marche. Je garde une certaine appréhension, car si David se réveille ou si quelqu'un s'aperçoit de mon absence, je vais devoir affronter mes parents... et je ne suis pas sûre de pouvoir leur tenir tête.

Alors que le souffle du rotor commence à balayer le pont du bateau, je distingue une silhouette qui approche en courant... Zut.

— Décolle, Maude…

— C'est qui ? demande Arlène, en tentant de reconnaître la silhouette sous la grosse doudoune.

— Pas la moindre idée, commente Maude. Mais on dirait qu'il veut nous dire quelque chose.

— Les filles, je ne suis pas sûre de pouvoir rester avec vous si on le laisse s'approcher…

Maude et Arlène se regardent. L'hélico de Maude prend son envol… Ouf.

Juste au moment où les patins quittent le pont, le souffle de l'engin fait tomber le capuchon de l'individu.

Simon.

— Non, attendez, dis-je *in extremis*...

Maude repose délicatement son hélicoptère sur la plate-forme. J'ouvre la porte du passager à Simon.

Lorsqu'il grimpe à l'intérieur pour s'abriter, il est stupéfait de me découvrir à la place de David.

— Mais Lucie… qu'est-ce que…

— Simon, je vous en prie, ne vous mêlez pas de ça. Je suis la plus qualifiée pour ce genre de travail.

— Mais vos parents…

— C'est à moi à prendre cette décision, à moi seule. Tout ce que je vous demande, c'est de ne pas vendre la mèche avant que je sois partie avec Maude et Arlène.

— Et David ?...

— Il a besoin de se reposer. Vous aviez quelque chose à lui dire ?

— C'est que… je voulais vous prévenir… juste une intuition…

— Tout ça pour une intuition ! lance Maude.

— Eh bien, allez-y, dis-je.

— Aux dernières nouvelles météo, Environnement Canada s'est inquiété d'une importante formation de nuages au-dessus du Manitoba et de l'Ontario. D'après nos calculs, Atmospheric vient de créer un front chaud artificiel à cet endroit pour le confronter au front froid ambiant qui vient du nord et y créer une tempête. Je soupçonne qu'une fois celle-ci formée, ils vont la diriger vers Québec via le courant-jet de haute altitude pour la faire gagner en vitesse et en puissance.

— Où voulez-vous en venir, Simon ? interroge Maude.

— Si vous parvenez à faire baisser la puissance d'émission de la centrale d'Atmospheric, la tempête va se calmer, car le front chaud créé va diminuer. Nous pourrons alors en profiter pour la repousser vers l'Atlantique Nord avec le système de votre mère, m'explique le journaliste en faisant de grands gestes pour me montrer le mouvement des vents. Mais, même affaiblie, la tempête risque de continuer à progresser en suivant le courant-jet.

— Et elle va s'arrêter où ?

— Logiquement, elle devrait s'épuiser dans l'Atlantique.

— Simon, c'est bien gentil, votre bilan météo, mais pourquoi êtes-vous venu nous parler de ça ? demande ma tante.

— Parce que le front chaud créé par Atmospheric dévie le courant-jet de haute altitude et qu'avant d'arriver dans l'Atlantique Nord, ce qui restera de la tempête risque de balayer toute la partie sud du Groenland. C'est exactement là où vous vous trouverez.

Chapitre 15

Je me réveille en sursaut. J'étais encore plongée dans ce même rêve. Après notre décollage de *L'Exode*, Maude m'a autorisée à me reposer sur les banquettes arrière. Notre vol se passant de nuit, j'ai pu en profiter pour récupérer un peu.

Quand j'ouvre les yeux, je suis éblouie par quelques rayons de soleil. Nous avons quitté la nuit boréale et nous survolons une côte blanche de neige. Probablement le Groenland. Je me frotte les yeux pour tenter de m'éveiller.

Maude me tend le gros casque équipé d'un micro qu'elle portait sur la tête.

— Ta mère au téléphone…

Oh zut ! les problèmes refont surface. J'enfile les écouteurs.

— Lucie, David est à côté de moi, il vient de se réveiller.

— Moi aussi, dis-je sans trop savoir quoi répondre.

Ma mère poursuit.

— Pourquoi as-tu fait ça ?

— Tu le sais très bien.

— Mais tu m'avais promis…

— Maman, je ne t'avais rien promis. J'ai ma part de res-ponsabilité dans ce qui arrive, je ne peux pas rester sur le bateau les bras croisés en espérant que mon copain réussisse la mani-pulation qui pourra sortir du pétrin ma meilleure amie.

— Lucie, il me semble qu'entre mère et fille, on devrait se faire confiance, non ?

— Bien sûr, c'est le moment ou jamais !

— Mais tu nous as désobéi.

— C'était nécessaire.

— Je vais demander à Maude que tu restes dans l'hélico pendant l'opération, je ne veux pas que tu sois mêlée à ça…

— Et on demande à qui d'implanter le virus ? Maude ? Arlène ? Ou peut-être Wahlberg ? dis-je en rigolant, convaincue que ma mère ne pourra rien répondre à ça.

— Passe-moi Maude.

Je tends l'écouteur à notre pilote. À partir de là, je n'entends plus rien, la voix de mon amie se faisant discrète et étant couverte par le bruit des moteurs.

Quelques instants plus tard, alors que l'hélicoptère amorce sa descente, Maude s'adresse à Arlène à voix basse. Je n'en-tends rien. Ça m'inquiète, ce n'est pas dans les habitudes de mes deux amies. Maude m'interpelle.

— Ta mère veut que tu restes dans l'hélico.

— Elle voulait aussi que je reste sur le bateau. C'est débile, personne d'autre ne sait comment faire.

— Lucie, Catherine a peut-être raison, c'est prendre des risques inutiles, rétorque Arlène.

Je ne comprends plus rien.

— Mais enfin, les filles, vous délirez ou quoi ? Je ne suis pas venue avec vous pour faire juste une petite balade en hélicoptère ! Si on n'implante pas ce virus, Atmospheric va rester en possession d'un système opérationnel, nous n'aurons fait que repousser leurs actes !

— Faut croire que ta mère préfère ça plutôt que de te voir mêlée à cette histoire.

— Et vous allez faire comment pour m'empêcher de venir avec vous ? Vous voulez me ligoter ?

— Je vais simplement te le demander poliment, rétorque Maude. Au nom de notre amitié, je voudrais que tu respectes cette décision.

Je me cale au fond de mon siège, abasourdie par ce revirement de situation. Maude et Arlène elles-mêmes m'ont fortement suggéré de les accompagner tout à l'heure, et voilà qu'elles changent complètement leur fusil d'épaule. Si c'est comme ça qu'elles assument leurs décisions, ce n'est pas terrible.

— D'après ta mère, le dernier bulletin météo sur le Québec n'est pas encourageant. La tempête est déjà passée au-dessus de Val-d'Or avec des vents allant jusqu'à cent quatre-vingts kilomètres à l'heure. Cette ville est complètement bloquée. Il y a pas mal de dégâts. Les vents ne cessent d'augmenter et la tempête fonce droit sur Québec. Environnement Canada a lancé une alerte météo pour cette ville. Va pas falloir traîner.

Grr... Je refuse d'être là juste pour garder un œil sur une valise bourrée de détonateurs.

. La valise... les détonateurs... J'ai peut-être une idée...

▲ ▼ ▲

Dix minutes plus tard, l'Eurocoptère vole à très basse altitude le long des côtes du Groenland. Quelques maisons commencent à apparaître.

— Vous allez faire comment pour passer aux douanes avec votre attirail?

— Je n'ai pas l'intention de passer aux douanes. Je vole à basse altitude depuis que je suis dans l'espace aérien du Groenland pour éviter de me faire repérer par les contrôleurs aériens, précise mon amie alors que l'hélico se pose en douceur sur un terrain escarpé entouré de collines.

— Derrière cette butte, ajoute Arlène, se trouve un petit hameau dans lequel on devrait trouver un véhicule.

Ma tante et Maude débarquent.

— J'ai laissé tourner le chauffage, tu as juste à continuer ta sieste, me conseille Maude.

— Je ne trouve pas ça très drôle, dis-je, de mauvaise humeur.

— On n'en a pas pour longtemps, me promet ma tante, qui coupe court à mes lamentations.

— Ça, c'est à la condition que Maude se souvienne du code pour ouvrir la valise d'explosifs, dis-je innocemment.

— Évidemment que je m'en souviens, s'exclame Maude, étonnée de ma question.

Voyant mon sourire en coin, Maude regarde l'objet qu'elle tient au bout du bras, puis me regarde à nouveau. Même rictus.

— Quoi, qu'est-ce qu'il y a ? interroge Arlène.

Maude semble comprendre où je veux en venir.

— Lucie… La valise n'était pas verrouillée quand je te l'ai laissée… Tu n'as tout de même pas…

— C'est juste par souci de sécurité, faut pas prendre de risques, dis-je, toujours souriante.

— Tabarnouche, Lucie… peste mon amie.

— Quelqu'un peut-il m'expliquer ? demande ma tante.

— Elle a changé le code de sécurité pour ouvrir les serrures de la valise d'explosifs. À moins de l'emmener, on ne pourra pas l'ouvrir.

— Cette opération pue le manque d'organisation à plein nez, fulmine ma tante. Ça commence à devenir inquiétant.

▲ ▼ ▲

Nous contournons depuis une dizaine de minutes une colline rocheuse face à la mer. Malgré la météo assez sauvage, le paysage est magnifique. S'il n'y avait pas la route, on pourrait croire que jamais personne n'est passé ici.

Dès notre descente de l'hélicoptère, nous avons piqué un sprint jusque de l'autre côté de la colline. À la première occasion, nous avons emprunté un *pick-up* à l'entrée d'un chantier naval. Promis, nous le rapporterons là dès notre travail terminé.

Notre cible n'est pas dans la direction de la capitale Nuuk, mais en est éloignée de plusieurs kilomètres à l'intérieur des terres.

Maude scrute le paysage qui nous entoure. Au détour d'une colline, elle finit par pointer son doigt en direction d'un pylône électrique à proximité de la route.

— Là ! C'est la ligne électrique qui alimente la station.

— T'es sûre de ton coup ? dis-je, inquiète. Faudrait pas plonger la capitale dans le noir !

— Absolument. Nuuk n'est pas alimentée par ce réseau, celui-ci est propre à Atmospheric.

Mon amie stationne notre gros quatre par quatre sur le bas-côté et me demande la valise déposée à côté de moi. Je la lui tends.

— Le code ?

— Facile, 90125 des deux bords !

— J'aurais dû y penser…

Maude sort de la camionnette, emmitouflée jusqu'aux oreilles dans sa combinaison de travail, la valise à la main. Le froid s'engouffre dans le véhicule. Depuis que je me suis réveillée, le climat n'arrête pas de se dégrader. Le ciel est maintenant couvert de gros nuages et le vent souffle en rafales.

Arlène s'est aperçue comme moi de ce changement.

— On dirait que la tempête créée par Atmospheric a déjà commencé à avoir une influence sur tout le climat du Nord.

234

— Ne me dis pas qu'on est venues jusqu'ici simplement pour faire sauter un poteau électrique, dis-je à ma tante. Promets-moi qu'on va jusqu'au bout… Peu importe ce que ma mère vous a fait promettre.

Arlène soupire.

Maude revient rapidement vers nous.

— On a trente minutes avant l'explosion du pylône. Faut pas traîner, c'est le maximum de temps que je pouvais mettre sur ces engins.

Ma tante me regarde dans le rétroviseur. J'attends toujours sa réponse.

— Évidemment qu'on va jusqu'au bout.

Nous repartons de plus belle.

Quelques kilomètres plus loin, nous arrivons en vue d'un gros bâtiment carré. Une quinzaine de voitures sont stationnées devant. Dehors, pas le moindre signe de vie.

Pas de doute, nous sommes à la bonne place. À la droite du bâtiment se trouve l'équivalent d'un champ d'antennes, comme celles qui se trouvent sur le pont de *L'Exode*, mais en plus grand.

De l'autre côté, l'attention de Maude est attirée par un énorme hélicoptère qui semble monter la garde.

— Qu'est-ce que c'est que ce monstre ? dis-je en voyant la machine.

— Un Sikorsky S-64 Skycrane.

L'hélico a une forme assez particulière. Il n'y a qu'un cockpit à l'avant et rien derrière. Pas de cabine, pas de soute, rien, juste une espèce de turbine suspendue en dessous par plusieurs câbles d'acier.

— On dirait une grosse libellule.

— C'est une machine conçue pour soulever de lourdes charges, l'équivalent d'une grue volante.

— Et c'est quoi le truc qui pend en dessous ?

— Ça, par contre, je n'en sais rien.

— Dites, je ne voudrais pas perturber votre visite, les filles, mais il nous reste vingt-cinq minutes. On devrait peut-être s'y mettre.

Pendant que Maude gare notre véhicule, Arlène et moi revêtons des combinaisons, des casques de travail et préparons le matériel. Ma tante a eu la bonne idée de transférer tout ce dont elles ont besoin dans deux trousses à outils métalliques prêtées par Seger pour plus de réalisme.

Le vent est de plus en plus fort, et même si la température, ici, est un peu moins froide que là où se trouve *L'Exode*, il n'en reste pas moins que l'air glacé nous précipite à l'intérieur de l'entreprise.

Nous passons une double porte en verre avant d'arriver dans un large hall. Un long bureau s'étale sur toute la longueur. Le logo d'Atmospheric Energies est accroché sur le mur du fond.

Une dame nous fait signe d'approcher. Ma tante se gonfle de toute son assurance. C'est là qu'on va voir si notre subterfuge peut marcher. Si la réceptionniste a un doute, nous n'aurons pas la moindre chance d'intervenir dans les temps.

— Croisez les doigts, dis-je à voix basse.

Voyant trois femmes déguisées en électriciennes débarquer devant elle, la jeune femme de la réception fait une drôle de tête.

— Yes ?

— We're working for North Pole Electrics. With the storm coming, we'd better check some of your electric networks. It will take only a few minutes.

— Well, OK. Let me check if I can let you in, approuve la dame en fouillant dans son ordinateur.

Pas la peine de dire qu'elle ne trouvera rien et que notre plan est en train de tomber à l'eau.

Maude tente le tout pour le tout.

— We do not have any appointment. You were on our way, so we thought we'd better stop today. We won't be long.

— I understand, but I need an authorization. If not, I will ask our assistant director, Mr. Lampron, to go with you.

À cet instant précis, je pense que nous faisons toutes des yeux comme des billes. Si la réceptionniste appelle Lampron et qu'il nous aperçoit ici, je ne donne pas cher de notre vie. Il faut éviter cette option, mais aucune de nous trois n'a d'idée concrète. La solution vient de l'employée.

— Oh, I see it will be OK. I have a memo that tells you can pass. I think it is for the works that are being done in East Hall. I suppose they were waiting for your arrival.

Je ne sais pas si c'est la réceptionniste qui a mal lu ou si c'est l'ordinateur qui a un bug, mais nous venons d'avoir une chance incroyable. La jeune femme s'imagine avoir une autorisation pour nous alors que personne n'a pu les prévenir de notre présence.

La dame nous explique comment nous rendre jusqu'à la salle du réseau électrique. Apparemment, nous sommes priées de faire un détour, car une partie du bâtiment est en travaux. Je repère immédiatement sur le plan qu'elle nous montre plusieurs bureaux qui sont sur le chemin que nous allons emprunter.

— *Nobody will disturb you. Most of our employees are busy with an experience that is being realized today.*

Nous la remercions et prenons la direction de la salle des machines.

— On est chanceuses pas à peu près, les filles !

Ma tante et Maude ne relèvent pas ma remarque. Elles scrutent l'endroit comme si nous étions surveillées.

— Deux caméras au fond du couloir, en mouvement constant, murmure ma tante. Marchez tête baissée.

— Elles sont reliées à des détecteurs de mouvement logés dans le mur, complète Maude.

— Les bureaux de ce couloir ne sont pas accessibles. Trop voyant et trop proche de l'entrée, chuchote Arlène. On poursuit.

Nous bifurquons dans le couloir suivant. Même constat : des caméras partout, impossible pour nous de faire irruption dans un bureau sans être repérées par une caméra, ou même d'utiliser un fumigène comme Maude l'a fait lors de notre dernière intrusion.

Alors que nous parcourons des couloirs interminables, je m'arrête brusquement devant une porte entrouverte. Le nom d'Edmund Kynn est gravé sur une petite plaque. Il n'y a personne à l'intérieur du bureau.

— Lucie, t'arrête pas, me souffle Maude.

— Attendez… c'est le bureau de Wahlberg…

Maude et Arlène font demi-tour et reviennent vers moi.

— Et alors ?… ce n'est pas le moment, on est surveillées…

— Si j'implante le virus via son ordi, c'est lui qui va être accusé d'avoir ouvert une porte de leur système sur Internet et d'avoir permis à ce virus de s'implanter. Après ce qu'il a fait à mon père, il le mériterait bien.

Les deux femmes se regardent.

— Qu'est-ce que tu en penses ? demande Maude à Arlène.

— Ce n'est peut-être pas plus mal…

Arlène semble réfléchir un bref instant.

— OK, plus personne ne bouge.

Je ne comprends pas.

— Quoi, pourquoi tu dis ça ?

Maude me fait signe d'écouter ma tante.

— Ces caméras ne s'allument que s'il y a un mouvement dans le couloir. Si rien ne bouge, après un moment, elles s'éteignent. Ça évite d'avoir à surveiller des dizaines d'écrans à la fois.

Ma tante garde un œil sur la caméra.

— Continuez de faire semblant de parler… dit-elle tout bas.

— On va avoir l'air de quoi si Wahlberg arrive ? dis-je. On n'est pas trop déguisées, il va nous reconnaître.

— C'est bon, elles sont éteintes. Si on ne fait pas de mouvements trop brusques, elles ne s'allumeront pas.

Maude et moi ne bougeons pas d'un millimètre. Arlène pousse délicatement la porte.

Une après l'autre, nous pénétrons dans le bureau à une lenteur extrême. Je me retiens pour ne pas avoir un fou rire.

Dès que la porte est refermée, nous reprenons notre cadence normale.

Arlène consulte sa montre.

— Dix-sept minutes. Lucie, c'est à toi de jouer.

Je m'installe rapidement au bureau de Wahlberg et allume l'ordinateur.

Autre coup de chance : il n'était pas éteint mais juste en veille. Par contre, notre chance s'évanouit presque immédiatement lorsque s'affiche une requête à l'écran. Il faut introduire une carte magnétique pour accéder au contenu de la machine.

— Zut de zut, je ne suis pas capable d'entrer dans le système, il faut une carte…

— Peut-être qu'elle est quelque part dans le bureau, suggère Maude. On s'y met toutes les trois, il n'y a pas une seconde à perdre.

Nous fouillons à toute vitesse les moindres recoins du bureau de Wahlberg. Rien de mon côté.

— Bon sang, mais qu'est-ce que c'est que ces trucs-là ? demande Maude.

— Tu l'as trouvée ?

Maude me fait signe que non, mais elle nous montre un gros cartable rempli de photos et de plans auxquels je ne comprends pas grand-chose.

Arlène se penche dessus.

— En tout cas, ça n'a pas l'air d'être des jouets !

— De quoi vous parlez ?

— L'arme qu'a utilisée Wahlberg est loin d'être la seule construite par la société. Il y a des dizaines de modèles là-dedans. Tous issus de la technologie inventée par ta mère. Regardez, il y a même le truc qui était suspendu au Skycrane à l'extérieur, fait remarquer mon amie en nous tendant le document. Durant plusieurs années, il leur manquait le code source pour faire fonctionner le système Tesla, mais ils ont mis leur temps et leurs connaissances à profit pour créer une toute nouvelle sorte d'armement.

— On n'est pas venues pour ça, intervient Arlène. Le temps presse.

Maude reste penchée un instant sur le document.

— Mautadit… ils ont même le culot de mettre sur le marché des mines antipersonnel ! Une technologie pareille, personne ne pourra la désamorcer…

— Maude, s'il te plaît ! insiste ma tante. Ce n'est pas le moment.

Nous poursuivons nos recherches, même si Maude semble obnubilée par ce qu'elle vient de découvrir. Aucune trace de la carte.

— Il y a de fortes chances qu'il l'ait sur lui. Va falloir changer de bureau.

— Il n'y a vraiment pas moyen de faire sans, Lucie ? me demande Maude.

— Attendez une minute, dis-je en mettant la main sur un étui rigide caché sous un des tiroirs du bureau, je pense que je l'ai…

Je retire le petit compartiment. Ça n'a rien à voir avec une carte, c'est un cadre. En voyant la photo qui est mise sous verre, je change de couleur immédiatement. Ma mère, dans les bras de Wahlberg, est photographiée sur le pont de *L'Exode*. C'est plus qu'une simple accolade entre collègues. Ma mère m'a menti.

Voyant mon expression changer, Arlène est inquiète.

— Lucie, qu'est-ce que tu as ? Ce n'est pas la carte ?

Je montre la photo aux deux femmes. Pas difficile de savoir pourquoi Wahlberg la cachait. Avec une telle photo ici, dans cette entreprise, on aurait vite compris qu'il connaissait ma mère et on lui aurait soutiré des informations.

— Non, ce n'est pas la carte, c'est la preuve qu'il y a bien eu quelque chose entre lui et ma mère, dis-je, exaspérée. Ils sont bien beaux, ses principes, à ma mère ! « Faut se faire confiance dans une famille ! » Tu parles ! Elle n'est même pas capable de nous avouer la vérité, à mon père et à moi. Et mon père qui s'imagine que son couple est reparti sur de bonnes bases…

— Moins fort, Lucie, essaye de te contrôler, supplie ma tante.

Rien à faire, c'est plus fort que moi.

— N'ai même plus envie de la revoir… dis-je en balançant le cadre dans la fenêtre.

— Pas la fenêt… bafouille ma tante.

Trop tard. Le cadre vole en éclats sur la vitre, qui se fêle sous le choc.

Arlène se précipite pour inspecter les dégâts.

— Je suggère qu'on se dépêche de trouver une solution à notre problème d'ordinateur, lance ma tante, car si cette vitre est reliée à un système d'alarme, on ne va pas tarder à avoir de la visite.

Je suis à la fois outrée par ce que je viens de découvrir et gênée par mon acte de rage. Je viens de compromettre la mission.

— Lucie, peux-tu, oui ou non, accéder à cet ordinateur sans la carte ?

— C'est compliqué, il me faudrait beaucoup de temps…

— Il ne reste que dix minutes. On change de bureau.

Pas le temps de discuter. Dix minutes, en sachant qu'on va devoir trouver un bureau ouvert avec un ordi accessible en marchant au ralenti, ça va vraiment être juste.

Alors que nous nous apprêtons à mettre les voiles, nous sommes clouées sur place. La porte s'ouvre.

S'il y a bien une personne que j'espérais ne pas voir, c'est lui.

Chapitre 16

Rien à faire, cet homme m'est toujours aussi antipathique. Toujours aussi imbu de lui-même. Trop fier d'être parvenu là où il est et pourtant toujours aussi commun dans son costume gris.

— Vous repartez déjà ? demande-t-il, sourire aux lèvres.

Personne n'ose dire un mot, d'autant qu'il pointe une arme sur nous.

— Pour être tout à fait franc, j'attendais votre visite... même que je m'attendais à une intrusion comme celle-là... Vous êtes pour le moins prévisibles, Arlène. Si vous vous trouvez ici, en ce moment, c'est parce que je l'ai voulu ainsi et pas autrement. Il n'était même pas nécessaire de casser une vitre pour vous faire remarquer.

— Comment saviez-vous que nous serions là ? dis-je, furieuse. Personne n'a pu vous prévenir.

— Pas besoin de me prévenir, il suffisait d'être logique. Nous vous avons dérobé les informations qui nous manquaient pour mettre en œuvre le projet de votre mère. Comme c'est une défaite que vous avez du mal à encaisser, il était logique que vous veniez mettre votre nez dans nos affaires pour essayer de saboter notre installation. C'est simple, Lucie, j'ai rarement vu une peste aussi collante que vous. La seule façon de ne pas vous avoir dans les pattes un jour comme aujourd'hui aurait été de vous éliminer bien avant.

— Ce que vous n'avez pas été capable de faire, dis-je avec front.

— Parce que ça ne faisait pas partie de mes priorités. Aujourd'hui, c'est différent. Vous faites une intrusion dans une entreprise privée dans le but de la saboter et vous êtes armées. C'est un cas de légitime défense.

— Aucune d'entre nous n'est armée ! Vous êtes ridicule !

— Et vous, très naïve ! Arlène, retirez l'arme que vous avez dans votre bas de pantalon. Maude, déposez votre ceinture qui contient des détonateurs à courte portée et les bâtonnets de C4.

Lampron ayant toujours son arme braquée sur moi, les deux femmes s'exécutent sous mes yeux éberlués.

— Mais, Arlène… tu ne m'avais pas dit…

— Sécurité oblige, Lucie, tu es sous notre responsabilité.

Au même instant, Wahlberg fait irruption dans la pièce, comme s'il venait de courir un cent mètres.

Il contemple la scène, éberlué.

— Mais qu'est-ce que vous foutez, Lampron ?

— Devrais-je vous rappeler que depuis ma récente promotion, je suis votre supérieur direct ? Adressez-vous à moi sur un autre ton.

— Vous ne pouvez pas abattre ces trois personnes comme ça, dans mon bureau !

— Je n'en étais pas rendu là, mais dans un cas d'intrusion de personnes armées, c'est de la légitime défense.

— Sans la moindre trace d'échange de coups de feu ? Personne ne vous croirait. Vous voulez passer pour un meurtrier ? Ce serait dommage, alors que votre carrière reprend du mieux… lance Wahlberg sur un ton ironique.

— Je vous conseille de changer de registre, Kynn, à moins que vous ne souhaitiez faire partie des victimes !

— Faites ce que vous voulez avec nous, propose Maude, mais laissez Lucie en dehors de tout ça !

— On ne vous a rien demandé.

Dans un moment pareil, le tout est de savoir si Lampron a le courage d'exécuter ses menaces. Je soupçonne ma tante d'évaluer la même chose. Ne la voyant pas broncher, je devine qu'elle ne veut courir aucun risque.

— Nous avons des moyens bien plus propres en notre possession pour venir à bout de ces trois personnes, relance Kynn. Laissez faire vos armes de barbare.

— Je veux bien admettre que vos jouets à basse fréquence sont de petits bijoux de technologie, mais ce type d'armes à poudre servent depuis des siècles, Kynn. Elle sont probablement plus fiables que vos prototypes.

Wahlberg est de plus en plus furieux devant le comportement de son supérieur. Je ne comprends pas pourquoi Arlène ne profite pas de la situation de conflit pour agir. Qu'attend-elle ?

— Mais bon sang, Lampron, reprend le scientifique, vous cherchez le trouble à tout prix ou quoi ? Vos coups de feu vont ameuter tous nos collègues. Avec votre méthode, vous vous retrouvez avec la police nationale sur le dos, une enquête qui dure des mois et des tas de policiers qui fouillent nos bureaux de fond en comble. Si un enquêteur découvre nos activités sur les modifications climatiques, je vous promets que l'entreprise dont vous êtes le DIRECTEUR ADJOINT va mettre la clé sur la porte bientôt !

Cette fois, Lampron semble réfléchir.

— Qu'est-ce que vous proposez ?

— Injecter une capsule basse fréquence dans chacune d'elles. Une fois qu'elles seront dans le coma, on les balance en plein milieu de l'Arctique et on les oublie. Si même on les retrouve un jour, personne n'établira le lien avec nous.

— Allez chercher ce qu'il faut dans la chambre forte.

— Vous savez très bien que je n'y ai pas accès.

Lampron attrape l'arme d'Arlène. Il la tend à Wahlberg.

— Vous savez vous en servir, non ?

Wahlberg atteste. Il charge l'arme.

— J'y vais moi-même, déclare l'ex-policier. S'il y en a une qui bouge, vous utilisez MA méthode.

▲ ▼ ▲

Le temps reste suspendu un bref instant. Wahlberg tend l'oreille, comme s'il écoutait ce que fait Lampron de l'autre côté de la porte, puis il se tourne vers nous.

Il me pointe du bout de l'arme et s'adresse aux deux autres.

— Qu'est-ce qu'elle fait avec vous ?

— On n'a pas eu le choix, déclare ma tante.

— Et c'est quoi, cette histoire de vouloir implanter un virus ?

Je suis abasourdie. Comment Wahlberg connaît-il l'objet de notre visite ?

— D'où tenez-vous cette information ? Qui a parlé ?

Sous mes yeux éberlués, Wahlberg redonne l'arme à ma tante.

— Catherine, évidemment ! lance le scientifique.

— Mais qu'est-ce que…

— Elle ne voulait pas que tu débarques ici et elle a demandé à Edmund de faire la job à ta place, précise Maude. Wahlberg est avec nous depuis le début.

Cette nouvelle me déstabilise complètement.

— Mais… mais… depuis quand le savez-vous ? Pourquoi ne m'avez-vous rien dit ?

— Nous l'avons appris tout à l'heure, dans l'hélicoptère, reprend Arlène. Nous n'étions pas plus au courant que toi. Ta mère voulait garder cette information la plus secrète possible pour ne pas brûler la couverture d'Edmund.

Je recule de quelques pas, éberluée.

— Non… C'est faux, il a tiré sur mon père ! Il a tenté de nous voler le code source pour le rapporter dans cette société…

— Lucie, j'ai tiré sur ton père parce que c'était la seule solution. Après l'affaire Black, l'entreprise a eu des doutes sur la fiabilité d'un agent comme Lampron. Alors qu'il tentait de vous coincer lors du vol du Casino, les dirigeants ont décidé d'envoyer quelqu'un d'autre. J'avais déjà infiltré l'entreprise pour le compte de ta mère. Je me suis donc proposé. Vu l'acharnement de l'entreprise, Catherine et moi avions décidé qu'il valait mieux récupérer les copies du projet Tesla qui se trouvaient encore à Montréal. On voulait les mettre en sécurité ailleurs. Catherine m'a confié où se trouvait la clé du coffre. Le problème, c'est que ton père me connaissait et que nous n'étions pas en très bons termes. Il ne m'aurait jamais donné la clé. Je voulais la dérober le soir du vol du Casino, mais vous êtes rentrés trop vite. J'ai utilisé l'arme pour endormir ton père. J'allais faire mon apparition et tout expliquer quand ton amie est sortie de la maison et que ton copain policier a débarqué. Vous êtes partis avec le corps avant même que j'aie le temps de réagir. J'ai récupéré la clé après votre départ, en me promettant que je ferais tout dans un avenir très proche pour sortir ton père du coma dans lequel je venais de le plonger. L'échange que nous avons fait à l'hôpital où ton père subissait un examen était la meilleure solution. Catherine désirait avant tout que vous ne soyez plus la proie continuelle d'Atmospheric.

— Pourquoi ne pas nous avoir dit qui vous étiez ?

— À la clinique ? C'était trop risqué, trop de monde, je ne pouvais pas courir le risque de perdre ma couverture. Je devais rester Edmund Kynn pour Atmospheric afin de pouvoir surveiller de près leurs agissements.

— Mais à l'aéroport…

— J'ai tellement paniqué quand j'ai compris que vous aviez remis la main sur la mallette que Lampron avait piégée… J'ai bien cru que je venais de vous condamner…

— L'explosif était un leurre. Un simple bricolage, explique Maude.

— J'ai fini par arriver à la même conclusion. Une chance car Catherine ne m'aurait jamais pardonné une erreur pareille. Quand elle a appris que j'avais dû plonger Sidney dans le coma, j'ai bien cru qu'elle ne me parlerait plus jamais !

Je reste un instant songeuse face aux incroyables déclarations que Wahlberg vient de me faire. Je ne sais plus quoi penser…

— Écoutez, reprend-il, Lampron est allé chercher du matériel à l'autre bout du bâtiment. Nous avons quelques minutes devant nous. Où en êtes-vous avec le virus ?

— Il nous faut la carte d'accès au PC.

— Bien sûr, lance Edmund, qui attrape une petite carte magnétique dans sa veste et la glisse dans le lecteur.

L'ordinateur est opérationnel.

Ne me voyant pas bouger, Arlène m'interpelle.

— Lucie, qu'est-ce que tu attends ?

Je récupère le cadre que j'ai fracassé tout à l'heure.

— Expliquez-moi ça… dis-je à Edmund.

Voyant sur quoi j'ai mis la main, le scientifique soupire.

— C'est la raison pour laquelle je me trouve ici…

— Lucie, je t'en prie, on n'a vraiment pas beaucoup de temps… m'implore Maude.

— Mais encore ? dis-je, en espérant profiter du délai très court pour forcer Wahlberg à me dire la vérité.

Comprenant que je ne bougerai pas tant que je n'aurai pas une réponse, Edmund tente de résumer la situation.

— OK, je ne te cacherai pas que j'ai eu des sentiments amoureux pour ta mère. Et elle… enfin… tout le temps ensemble au beau milieu de nulle part sur un bateau… Notre relation a fini par devenir de plus en plus intime… Mais ta mère est quelqu'un de droit et elle tient à toi et à ton père plus qu'à tout autre chose. Même si nous éprouvions des senti- ments mutuels, elle ne voulait pas tomber dans le piège d'une relation clandestine. La meilleure solution que nous avons trouvée était de faire d'une pierre deux coups. Je la quittais, mais pour mieux la servir, en devenant Edmund Kynn qui travaillerait pour Atmospheric Energies et garderait un œil sur leurs agissements. Voilà pour le résumé…

J'avoue que l'histoire tient la route et qu'en me dévoilant des détails aussi crédibles, Edmund vient de gagner une bonne part de ma confiance.

— Lucie, s'il te plaît… me supplie Arlène, une oreille collée à la porte.

Je fonce à l'ordi. En quelques secondes, je déverrouille un accès du réseau de l'entreprise. Reste à télécharger un virus.

Pendant ce temps, Maude interroge Wahlberg sur les découvertes qu'elle a faites dans le cartable de son bureau.

— Est-ce que c'est déjà sur le marché, tous ces trucs-là ?

— Non, ce n'est qu'à l'état de prototype. Les seuls modèles qui ont été fabriqués sont en phase de test et sont enfermés dans la chambre forte où Lampron se trouve actuellement.

— Et les mines, là, ça marche comment ?

— Leur concept est très proche des mines antipersonnel, mais sans faire le moindre dégât physique sur la victime.

— Alors quoi ? interroge Maude.

— Elles émettent pendant une seconde une surcharge d'ondes à basse fréquence dans un périmètre très restreint, deux mètres, pas plus, avant de devenir inertes. Ces ondes sont réglées sur la fréquence de résonance du cortex cérébral humain, ce qui le fait entrer dans une vibration extrême. Une fraction de seconde suffit à le réduire à l'état d'un disque dur formaté.

— Vous voulez dire ?...

— Que l'individu devient un véritable légume. Ses capacités motrices ne sont pas affectées, mais il n'a plus la moindre donnée qui lui permette de fonctionner normalement. C'est l'équivalent d'un autisme très profond. Plus aucun contact avec le monde extérieur.

Je quitte l'écran des yeux une seconde. Maude est blême.

— Et ils veulent vendre ça ?

— Tout ce que je sais, c'est que les gouvernements de certains pays se sont montrés intéressés. Atmospheric n'a pas encore commencé une production de masse.

— J'ai terminé ! dis-je en rendant la carte magnétique à Edmund. J'ai ouvert une porte du serveur de l'entreprise afin d'avoir accès à Internet. Le ver est entré dans le système, il ne devrait pas prendre plus d'une minute ou deux pour s'intégrer à tous les ordinateurs. Lorsque le système redémarrera, toutes les données seront effacées.

— Il est temps de décamper, nous avertit ma tante.

— Attendez ! nous retient Edmund, qui farfouille dans un tiroir.

Il me tend le disque dur contenant le code source, duquel pendent les câbles de branchement.

— On ne part pas sans ça…

J'acquiesce. J'enfourne le petit disque dur dans mon sac patchwork.

Maude nous regarde, visiblement ennuyée.

— Maude, on décolle…

Maude secoue la tête.

— Je ne peux pas laisser faire ça, lance-t-elle en nous tendant le cartable avec les photos. Personne ne sera à même de déminer des engins aussi perfectionnés. Il faut les éradiquer tout de suite…

— On n'est pas là pour ça, insiste ma tante. Lampron est à la veille de se pointer, on ne reste pas ici une minute de plus.

Maude rattache autour de sa taille sa ceinture d'explosifs.

— Edmund, la chambre forte est-elle commandée par un système électronique ?

— Euh… oui, un code à entrer sur un clavier…

— Arlène, combien de minutes avant que le pylône s'écroule ?

— Trois minutes.

— Edmund, est-ce qu'on peut atteindre la chambre forte en trois minutes sans risquer de croiser Lampron ?

Edmund semble embarrassé par ces questions rapides.

— Euh, oui, probablement, si on passe par la partie du bâtiment qui est en travaux.

— Arlène, retourne à la voiture avec Lucie. Moi et Edmund, on va placer quelques charges dans la chambre forte. Ça ne prendra que quelques minutes.

— Des minutes qui peuvent être dangereuses… lui reproche ma tante.

— Des minutes qui sauveront des vies, conclut Maude.

▲ ▼ ▲

Arlène et moi fonçons dans les couloirs de l'entreprise en espérant ne pas croiser Lampron. Edmund nous a indiqué un itinéraire qui devrait nous permettre de l'éviter, mais si Lampron est en contact avec le gars qui surveille les caméras, il aura vite fait de nous retrouver.

Par chance, nous arrivons dans le hall d'entrée désert. Ma tante et moi nous précipitons vers les grandes portes vitrées. Elles devraient s'ouvrir à notre approche, mais rien ne se passe. J'agite les bras devant l'œil optique qui est supposé capter notre présence, mais les portes restent désespérément fermées.

— Qu'est-ce qui se passe ?

— Quelqu'un a verrouillé les portes.

— Vous êtes vraiment très pressées de nous quitter, fait une voix derrière nous. Je suis désolé de voir que Kynn n'a pas eu les mots pour vous convaincre de rester encore un peu.

Lampron sort de l'ombre d'un pilier derrière lequel il s'était dissimulé. Il nous attendait à cet endroit. Comme moi, Arlène est intriguée par sa présence ici.

— Ah oui, désolé, j'avais promis à Kynn d'aller chercher ses jouets… Voyez-vous, je n'ai pas très confiance en ce Kynn, ou devrais-je plutôt dire… Wahlberg.

J'ai l'impression que notre situation ne s'améliore pas. Lampron vient de nous avouer qu'il sait que Wahlberg a joué un double jeu et qu'il est toujours avec nous.

— Mes supérieurs m'ont demandé de faire jouer mes contacts pour libérer ce guignol des griffes de la police de Montréal. Mais ils ne détenaient aucun individu du nom de Kynn… Par contre, un certain Wahlberg correspondait en tous points à la description du personnage. Quelle ne fut pas ma surprise de découvrir que le même Wahlberg avait été un proche collaborateur de votre mère, Lucie !

Lampron a une longueur d'avance sur nous, comme toujours. Ça ne me rassure pas.

— Je l'ai rapatrié ici, mais en le gardant sous surveillance rapprochée. Il suffisait d'avoir un contrôle très serré sur ses coups de fil pour comprendre que vous alliez nous rendre visite aujourd'hui. Dans le dernier appel qu'il a fait à votre mère, il était question d'un virus à implanter via son ordinateur. Vous comprendrez que j'ai isolé son poste, pour m'assurer que votre manipulation informatique n'atteigne aucun autre ordi de l'entreprise…

256

Oh non ! Cet horrible individu est encore parvenu à déjouer nos plans. Si j'avais écouté ma mère et que j'avais laissé David prendre ma place, elle n'aurait pas eu à contacter Wahlberg pour me remplacer. Et Lampron n'aurait pas été au courant de nos intentions. Tout est de ma faute… Notre plan est à l'eau. On est tombés dans la gueule du loup pour rien. Dieu que je déteste cet homme.

— Cette fois, poursuit Lampron en chargeant son arme et en la pointant sur moi, c'est terminé.

Pas le temps de voir défiler ma vie au ralenti, Lampron est trop rapide. Je perçois un flash de lumière puis, plus rien. Noir total.

Ce qui se passe après ne dure que quelques secondes. J'ai pourtant l'impression que le temps reste figé longuement.

Je sens mon visage plaqué contre le sol. J'ai dû m'effondrer après avoir reçu une balle. Étonnamment, je ne ressens pas de douleur. Mais l'espace d'un moment, je suis persuadée que plusieurs de mes sens sont grièvement affectés par ce qui vient de m'arriver. Je ne vois rien et n'entends rien. Chacun de mes membres semble peser une tonne, comme si quelqu'un me maintenait au sol. Je ne peux pas bouger.

Je pense à mes parents, à David… J'aurais bien aimé que notre histoire se poursuive encore un peu. J'aurais pourtant dû le savoir, en affrontant Lampron, je n'avais pas beaucoup de chances.

Alors que j'attends qu'on veuille bien m'achever, c'est comme si une petite voix venait me chuchoter à l'oreille. Je la distingue à peine tellement elle est faible.

— Bouge pas, le système électrique secondaire ne va pas tarder à démarrer, mais on peut profiter de la pénombre pour nous éclipser. Je te préviens, je vais faire un peu de bruit…

Je reconnais ce timbre de voix immédiatement. Ma tante est en train de me donner la marche à suivre. Je ressens également tout le poids qui me tenait au sol se dissiper. Je comprends mieux la situation.

Ma tante a profité de la panne de courant que nous avons provoquée pour me plaquer au sol et éviter le tir de Lampron.

Je commence à peine à bouger que plusieurs détonations viennent me défoncer les tympans. Arlène m'attrape par la peau du cou et me tire derrière une colonne en béton, pendant qu'elle vide tout un chargeur en direction de notre ennemi.

Aussitôt l'arme rechargée, elle change de cible et pulvérise de plusieurs coups de feu les portes vitrées qui refusaient de s'ouvrir. Un vent glacial et de la neige s'engouffrent dans le hall d'entrée. Les bourrasques sont telles qu'il est difficile de garder les yeux ouverts.

— À LA CAMIONNETTE, VITE ! me lance-t-elle en se remettant à tirer sans relâche vers Lampron.

Pas le temps de tergiverser, j'exécute l'ordre de ma tante tout en essayant de rester à couvert.

Dehors, impossible de voir où est stationné notre véhicule. La neige poudreuse produit un tel brouillard que j'en suis aveuglée.

Une fois de plus, ma tante me récupère au passage et me tire dans la bonne direction.

— Dépêche ! Lampron va avoir du mal à nous suivre dans le blizzard.

Je ne dis rien, j'essaye de m'orienter en progressant à tâtons. Arlène, pour sa part, n'a pas la moindre difficulté à retrouver notre véhicule.

Il était vraiment temps que nous arrivions, il fait un froid sibérien.

Arlène m'ouvre la porte du passager et file jusqu'au volant.

J'ai à peine le temps de m'asseoir que le rétroviseur vole en éclats. Un autre impact percute la carrosserie dans un bruit de ferraille.

Ma tante démarre en trombe et fonce vers la sortie du stationnement.

— Arrête ! Maude et Edmund, on ne peut pas les laisser là !

— Qui te dit que je vais les abandonner ? rétorque ma tante en donnant un grand coup de volant.

La voiture dérape sur la neige puis s'immobilise face au stationnement de l'entreprise.

Ma tante ne bronche pas. Elle laisse tourner le moteur du gros quatre par quatre, mais ne le fait plus avancer.

— Qu'est-ce que tu attends ?

Tout à coup, on entend un bruit d'explosion venant de l'aile est du bâtiment. Bientôt, une épaisse fumée s'en dégage. Je comprends qu'Arlène attendait de pouvoir connaître la position de Maude et d'Edmund avant d'agir.

Aussitôt, notre véhicule repart de plus belle et se faufile entre les rangées de voitures enneigées. En passant près de l'entrée, nous distinguons Lampron qui rentre dans l'édifice et court en direction de l'explosion.

Ma tante accélère, toujours en direction de l'aile où devrait se trouver Maude.

Face au bâtiment qui a subi l'explosion, Arlène tire le frein à main, ce qui a pour effet de faire pivoter le camion sur lui-même. Nous repartons tout aussi vite, mais en marche arrière cette fois. Notre véhicule prend beaucoup de vitesse, au point que j'ai l'impression que les pneus ne touchent même plus le sol. J'ai peur que ma tante n'arrive pas à prendre le prochain tournant qui contourne l'aile, surtout en roulant en marche arrière.

— Arlène, ralentis, tu ne pourras pas te redresser…

— Si on ralentit, on ne passera pas au travers…

— Au travers de quoi ?

— Sur le plan que nous a montré la réceptionniste, tout à l'heure, il n'y avait qu'un couloir permettant d'accéder à cette aile où se trouve la chambre forte. Si Maude et Edmund veulent sortir, ils devront forcément passer par là.

— Arlène, à travers quoi tu veux passer ? dis-je, inquiète, en sentant encore la voiture accélérer.

— Protège ton visage, Lucie, ça va secouer…

Bon sang, je viens de saisir que ma tante n'a aucunement l'intention de contourner le bâtiment, elle veut littéralement le traverser !

— ARLÈNE, NON…

Un fracas impressionnant s'ensuit. Le choc est tellement brutal que je suis projetée en avant, dans le coussin gonflable qui vient de s'enclencher. La voiture finit sa course en travers du couloir, dans un amas de gravats.

Il me faut un court instant pour reprendre mes esprits. Je tousse tellement ma gorge est asséchée par le plâtre en suspension dans l'air.

Ma tante n'a pas perdu de temps. Son arme est déjà rechargée.

Lorsque la poussière se dissipe, je distingue une silhouette près de ma portière : le visage blanchi par le plâtre, Maude accourt vers nous. Elle monte sur la banquette arrière du pick-up.

— Où est Wahlberg ? demande Arlène.

— Il me précédait d'une vingtaine de mètres.

— Ça veut dire qu'il fonce droit vers Lampron, ajoute Arlène.

Au même instant, plusieurs coups de feu retentissent au loin.

Arlène se tourne vers Maude et la secoue légèrement.

— T'es correcte ?

Maude oscille de la tête et avale un petit comprimé.

— Ça devrait aller, mais fais ça vite, l'effet ne dure pas très longtemps.

Je comprends que Maude fait référence à son problème d'absence qu'elle a systématiquement lorsqu'elle entend un son qui ressemble à un coup de feu. Ses comprimés l'aident tant bien que mal à tenir le coup.

Maude jette la petite boîte de pilules à côté d'elle.

— C'est tout ce qu'il te reste ? interroge ma tante.

— Dépêche ! ordonne Maude.

— Veille sur elle, me somme ma tante.

Arlène, l'arme au poing, s'enfonce précipitamment dans le couloir empoussiéré.

Maude met sa main sur mon épaule.

— Tu n'as rien de cassé ?

— Non, ça va, mais notre coup a raté. Lampron avait prévu notre plan et l'a déjoué. Le virus a servi à rien.

Maude est visiblement déçue.

— Et nous n'avons pas le temps de retenter le coup…

— Non, dis-je, pas avec ce que vient de faire Arlène.

Maude glisse un petit disque en aluminium brossé dans mon sac qui traîne sur le siège.

— Qu'est-ce que c'est ?

— Un souvenir de leur chambre forte… le seul élément dont j'ai cru bon devoir garder une copie.

— C'est-à-dire ?

— Une de leurs mines antipersonnel.

Voyant mon mouvement de recul, Maude me rassure.

— Ne t'inquiète pas, tant qu'elle n'est pas amorcée par le retrait de cette petite gâchette, explique-t-elle, elle est inoffensive. Tu me la rendras tout à l'heure.

— Mais pourquoi t'as rapporté ça ?

— Si jamais une de ces saloperies se retrouve un jour sur le marché des armes, malgré les précautions que nous venons de prendre, au moins, je saurai de quoi elles sont faites et comment les désamorcer.

— Tu veux l'étudier ?

— Exactement.

Un autre coup de feu retentit pas très loin de nous. Maude se met instantanément les mains sur les oreilles et m'oblige à me baisser. J'entends les balles siffler au-dessus de ma tête. Le tireur se rapproche. Je suis tétanisée.

Maude, tout en restant à l'abri, passe au volant du camion et est prête à repartir. Je comprends que ma tante a protégé le moteur et les parties sensibles du véhicule en entrant en marche arrière dans le bâtiment.

Les coups de feu se sont arrêtés. Je perçois une voix à proximité.

— Démarre, Maude, démarre…

Celle-ci s'exécute.

Nous voyons apparaître ma tante, qui soutient Edmund, ralenti par une blessure à la jambe.

Ma tante a toutes les peines du monde à avancer en le soutenant. Il lui reste une dizaine de mètres à franchir. Je m'élance, bien décidée à aller lui donner un coup de main. Maude me rattrape au vol, m'empêchant d'aller plus loin.

Je ne saisis l'intérêt de son geste qu'en relevant la tête. Lampron est en train de sortir du nuage de poussière qui se dissipe dans le couloir. Ma tante s'en est rendu compte. Nouvel échange de coups de feu. Je jette un œil à Maude : elle a l'air de tenir le coup. Arlène essaie de couvrir sa retraite et avance le plus rapidement qu'elle peut. En vain… Lampron se rapproche trop vite, les balles ricochent autour de nous. Wahlberg s'écroule.

Je suis estomaquée. Edmund gît par terre, l'abdomen transpercé à plusieurs endroits. Nous n'avons pas le temps de nous attarder, Lampron est toujours derrière. La seule chose qui nous tient encore en vie, c'est le feu de barrage que poursuit ma tante, mais celui-ci ne tarde pas à s'arrêter. Arlène n'a plus le moindre chargeur.

Maude fait vrombir le moteur, prête à démarrer. Sans Edmund sur le dos, Arlène est beaucoup plus mobile. Il ne lui faut que quelques secondes pour nous rejoindre.

Une fois Arlène montée, Maude écrase l'accélérateur. Le camion démarre en s'arrachant aux décombres.

À l'extérieur, plusieurs personnes ont quitté le bâtiment et tentent de rejoindre leur véhicule malgré la tempête. Maude évite de justesse plusieurs fonctionnaires et arrache le pare-chocs d'une voiture sport un peu trop dans notre trajectoire. Notre évacuation tient plus de la course de slalom que d'une sortie de stationnement. Lampron va avoir du mal à nous suivre dans ce fourbi.

Arlène se tourne vers moi :

— Lucie, t'es correcte, tu n'as rien ?

Je frissonne de partout. Je ne sais pas si je vais bien ou si je vais m'évanouir. Je viens de voir un homme se faire tuer. Edmund était un ami de ma mère. S'il ne l'avait pas aimée, il ne serait pas mort… Tout un tas d'images se bousculent dans ma tête. Qui était Edmund ? Je ne le connaissais même pas. Tout ce que je savais de lui était faux ou presque… Et ses parents, ils auraient pu le revoir… Ils ne le verront plus. Qui est responsable de tout ce carnage ?

Impossible de retenir mes larmes. Je ne sais même pas pour laquelle de ces raisons j'éclate en sanglots.

Maude me caresse la jambe et essaye de me réconforter.

— Je ne pouvais rien faire de plus, Lucie, argumente ma tante. Il n'avait aucune chance de survie après ça. Nous devions évacuer rapidement.

Je bafouille.

— Je sais, je...

Maude nous interrompt en regardant dans son rétroviseur.

— Lampron ne suivra pas, il a été pris à partie par le personnel. Il va avoir des comptes à rendre.

Nous venons d'arriver sur la route principale. Personne ne nous suit pour l'instant. Maude adopte une conduite plus prudente, les bourrasques de vent et de neige étant toujours plus violentes.

Je me mets en petite boule sur mon siège. Je ne sais plus quoi penser de notre expédition, si ce n'est qu'elle est un véritable désastre.

Chapitre 17

J'ai demandé à Maude qu'elle me mette en contact avec ma mère dès que ce serait possible. Quelques minutes à peine après notre décollage de Nuuk, ma mère est effondrée à l'autre bout de l'Arctique.

— Maman, je te jure qu'Arlène a fait tout ce qu'elle a pu pour essayer de le sortir de là. Tout s'est passé tellement vite…

— C'était un collaborateur exceptionnel, bredouille ma mère.

— C'était plus que ça, maman, tu le sais très bien.

Ma mère ravale ses sanglots.

— Qu'est-ce que tu veux dire, Lucie ?

— Vous n'étiez pas simplement des collègues, c'est Edmund lui-même qui me l'a avoué. Ce n'est pas pour rien qu'il travaillait chez Atmospheric. Tu aurais pu le dire à papa, non ?

— Lucie, je t'en prie, ce n'est pas le moment.

Je comprends que mon père ne doit pas être loin et qu'il écoute probablement notre conversation pour savoir si je vais bien.

— Au contraire, je crois que c'est le moment ou jamais. Dans une famille, on est supposés se faire confiance. C'est toi-même qui me l'as dit. On n'y arrivera pas si on n'y met pas tous du nôtre. Tu devrais aller parler à papa.

Ce que j'entends dans mon casque d'écoute est assez flou, mais je distingue tout de même la voix contrariée de mon père et ma mère qui tente de lui fournir des explications.

— Maman, passe-moi Simon…

Ma mère a d'autres chats à fouetter; elle me passe le journaliste.

— Simon, où en êtes-vous de votre côté?

— Pas si mal, Lucie, Ramón est parvenu à profiter de la faiblesse électrique qu'a subie Atmospheric pour repousser leur tempête plus au nord. Celle-ci a fortement diminué d'intensité en quelques minutes à peine.

— Et Québec?

— Que du bon. Ramón a implanté un deuxième système inoffensif juste au-dessus de la ville, une espèce de micro-climat. Il a servi de bouclier. Environnement Canada ne sait plus trop à quoi s'en tenir, mais on a la situation bien en main. Malheureusement, à l'heure actuelle, ce qui reste de la tempête doit être assez proche de vous.

Je ressens effectivement de grosses turbulences depuis que nous avons décollé. L'hélico a du mal à garder sa trajectoire.

— Oui, ça tangue pas mal par ici.

— Qu'est-ce que ça a donné de votre côté ?

Je reste un moment sans voix, honteuse d'avoir à annoncer notre échec.

— C'est raté, Simon. Lampron s'attendait à notre visite. J'ai pu ouvrir une porte d'accès à Internet via le poste de Wahlberg, mais Lampron avait intercepté un coup de téléphone de ma mère. Il a modifié l'adresse par laquelle les messages de l'ordinateur d'Edmund devaient sortir. Aucun message piégé n'a abouti à la bonne place.

Le journaliste essaye de me réconforter.

— Vous avez fait ce que vous avez pu, Lucie. Ce n'est pas votre faute. Nous trouverons une autre solution…

— Vous savez très bien qu'il n'y en a pas.

Le journaliste ne répond pas. Je suis intriguée par cette subite absence.

— Simon, vous êtes toujours là ?

— Dites-moi, Lucie… La fois où je me suis pris les pieds dans le câble d'alimentation chez Énertech, vous m'aviez bien dit que dans le cas d'une panne de courant subite, l'ordinateur ne sauvegarde pas ses dernières modifications, n'est-ce pas ?… Il réimplante les données de la session précédente ? C'est pourquoi les caméras ont redémarré…

— Oui, et alors ?

— Est-ce qu'un serveur fonctionne de la même façon ?

— Pas exactement. Par sécurité, les paramètres qu'on modifie sont sauvegardés immédiatement… Simon, pourquoi me parlez-vous de ça ?

— Réflexion d'un débutant…

Tout à coup, j'ai l'impression que la brume dans laquelle j'étais plongée depuis la mort d'Edmund s'évanouit complètement.

— Simon, vous êtes génial !

En provoquant une panne de courant chez Atmospheric, les ordinateurs ont forcément dû se réinitialiser sur leur précédente session, et non sur celle qui était en cours. Ce qui veut dire qu'à présent, la boîte de courriels de Wahlberg est fonctionnelle.

— Est-ce que David est à côté de vous ?

— Non, pas du tout, il aide les techniciens à déglacer les antennes à l'autre bout du pont.

— Et ma mère ?…

— Elle a disparu avec votre père.

— Vous êtes seul dans la salle de radio ?

— Oui.

Tant pis, il va devoir le faire lui-même, c'est notre seul espoir.

— Simon, nous avons peut-être une chance de renvoyer le virus dans le système d'Atmospheric, mais c'est vous qui allez devoir vous en occuper à partir du poste Internet qui est dans la salle où vous vous trouvez !

— Mais Lucie, vous êtes totalement inconsciente ou quoi ?

— Je vais vous aider, faites-moi confiance.

Maude, à son poste de pilotage, semble inquiétée par quelque chose. Elle tourne la tête pour regarder en arrière.

— On a de la visite, lance-t-elle.

— Comment ça ? dis-je, incrédule.

— Le Skycrane d'Atmospheric est juste derrière nous. Je vais essayer de le semer dans les nuages.

Cet hélicoptère qui nous colle au train ne présage rien de bon, mais j'ai trop à faire avec Simon pour m'en préoccuper maintenant.

J'explique au journaliste les premières étapes qu'il a à faire pour accéder au site d'Atmospheric. Simon a un peu de mal à me suivre, mais jusque-là, tout va bien.

— Il va vous falloir récupérer le virus qui est disponible sur le Web. Il s'appelle *Massiv Contagion Worm*. Faites une recherche sur Internet.

— Quoi, comment on fait ça ?

— Je vous l'ai expliqué, l'autre jour, quand je vous ai donné un cours dans l'hélico.

— Ah oui, je me souviens.

Quelques secondes s'écoulent.

— C'est bon, je l'ai…

— Surtout, ne l'ouvrez pas ! dis-je immédiatement. Vous pourriez infecter tout le système du bateau.

Tout à coup, je sens que je suis en train de perdre l'équilibre. L'hélicoptère vient de basculer vers la droite. Je me retiens au siège. Un signal sonore retentit dans la cabine. J'entends Maude crier :

— Je ne vais pas pouvoir l'éviter…

— Qu'est-ce qui se passe ?

Un impact sourd vient secouer tout notre engin.

— C'était quoi ce truc ?

— Aucune idée, rétorque ma tante, qui essaye de voir ce qui nous a touché. Mais c'est venu de l'hélico d'Atmospheric.

— À première vue, nous n'avons pas subi de dommages majeurs, précise Maude en regardant tous ses cadrans, mais cette machine est plus difficile à distancer qu'il n'y paraît.

Je me remets au travail.

— Simon, vous êtes toujours là ?

— Qu'est-ce qui se passe de votre côté ?

— Rien de grave, on continue.

— Je vous écoute…

— Allez sur le site d'Atmospheric et tapez, à la suite de l'adresse du site : */admin/*. Vous allez entrer dans le moteur de leur site Intranet. Grâce à la porte que j'ai ouverte tout à l'heure, vous devriez aussi avoir accès à leur serveur principal.

— C'est fait… mais je n'y comprends plus rien !

Alors que je m'apprête à répondre à Simon, notre hélicoptère se met subitement à trembloter.

— Qu'est-ce qui se passe ?

— Aucune idée, grogne Maude. Peut-être que l'hélico supporte mal les bourrasques, c'est la première fois qu'il subit des vents pareils. Je vais ralentir un peu.

À travers mon hublot, je distingue le Skycrane qui se rapproche de nous. Plus il se rapproche, plus les vibrations s'accentuent.

— Simon, dans la page où vous vous trouvez, vous devriez voir un répertoire des ordinateurs qui sont branchés sur le réseau d'Atmospheric. Ça doit ressembler à une colonne qui comprend toute une série de numéros, un peu comme des numéros de téléphone.

Petit temps d'attente.

— Oui, je pense que je les vois, mais ils sont tous marqués comme étant *disabled*.

— Le serveur principal ne fonctionne pas comme un ordi. Normalement, il doit avoir gardé en mémoire les modifications que j'ai apportées. Cherchez bien, il doit y avoir un poste en position *enabled*. Celui de Wahlberg.

L'hélicoptère tremble de plus en plus, ça commence à devenir inquiétant…

— Maude, mais qu'est-ce qui arrive ?

— Je fais ce que je peux…

En voyant le gros Skycrane de plus en plus proche et l'étrange module qu'il transporte, je crois comprendre de quoi il s'agit.

— Merde ! C'est la même chose qu'Edmund avait envoyé dans le ventre de mon père ! dis-je, médusée.

— De quoi tu parles ? m'interroge ma tante.

— Le truc qui est suspendu à leur hélicoptère figurait dans le livre d'armements prototypes que Maude a trouvé tout à l'heure. C'est un émetteur !

— Quoi, le genre d'appareil qui envoie des ondes pour détruire le cerveau des individus ?

— Ou la structure d'un véhicule ! relance Maude. Ils ont dû coller à notre carlingue un émetteur-récepteur qui a analysé la fréquence de résonance de l'hélico. C'est ça qu'ils nous ont lancé tout à l'heure. Ils n'ont plus qu'à émettre l'onde à partir de leur appareil et le petit récepteur se charge de les transmettre à notre machine.

— En pratique, ça donne quoi ? demande ma tante.

— Nous ne supporterons pas éternellement des vibrations pareilles. Soit on atterrit, soit on se disloque en plein vol !

Dans mon casque, j'entends Simon me parler.

— Je les ai, Lucie.

— Parfait.

Au même instant, quelque chose vient m'éclater dans l'oreille. Une chance que j'avais le casque d'écoute ! Je bascule sur le côté en protégeant mon visage. Couchée sur la banquette, je remarque qu'un des hublots vient de se briser. Il s'agit sans aucun doute d'une conséquence des vibrations toujours plus fortes.

Je vois par la petite fenêtre que le Skycrane est vraiment très proche de nous et que Lampron s'apprête à nous tirer dessus.

— Se poser n'est pas vraiment une solution, remarque ma tante en se défaisant de sa ceinture et en venant me rejoindre dans la cabine.

— Ça va, Arlène, je n'ai rien, dis-je d'une voix tremblante.

Arlène ne s'occupe pas de moi, elle fouille dans les compartiments sous les sièges.

— Tu dois bien avoir un harnais pour aller avec ton treuil, non ? demande ma tante à sa compagne.

— Derrière le siège du milieu, rétorque Maude. Qu'est-ce que tu comptes faire ?

— Décrocher le truc qu'ils nous ont collé dessus !

Ma tante enfile une grosse veste et le baudrier qu'elle vient de trouver. Elle me fait signe de me coller à un siège près de la porte et de m'attacher.

— Tu vas t'occuper de la commande du treuil. Tu devras me donner du mou.

— Mais Arlène, tu vas tout de même pas sortir en pleine tempête suspendue à un câble ! dis-je, terrorisée.

— Je suis d'accord avec Lucie, ça n'a rien d'une bonne idée !

Ma tante ouvre la porte arrière de l'hélico. Un froid sibérien s'engouffre dans la cabine. Je referme ma veste.

— Je n'en ai pas d'autre en ce moment, vocifère-t-elle par-dessus le bruit assourdissant.

— Lucie, vous êtes là ?… Lucie ?… répète Simon dans mon casque.

— Un instant, on a un problème à régler.

— Moi aussi, Lucie, j'ai un problème. Une petite fenêtre est ouverte sur la session de Kynn. Pour des raisons de sécurité, le serveur n'autorise l'accès à cet ordinateur pour maintenance

275

que pendant deux minutes, après quoi il faudra insérer une carte magnétique de reconnaissance dans le lecteur.

Zut de zut! Encore cette histoire de carte. Je me souviens de l'avoir rendue tout à l'heure à Edmund.

Ma tante crie à Maude :

— Essaye de rester hors de portée de tir du Skycrane, je n'ai pas envie de servir de cible à Lampron.

Maude fait piquer notre hélicoptère pour éviter l'engin adverse. Je me tiens où je peux.

— Très bien, Simon, on va le faire tout de suite.

— Je vous écoute.

— Si vous êtes dans le système d'Edmund, accédez à sa boîte de courriels.

— Sa quoi ?

— Simon, concentrez-vous, je vous l'ai expliqué l'autre jour. La boîte électronique où sont conservés les messages. J'ai pas que ça à faire !

J'entends vaguement Simon tapoter sur le clavier.

Pendant ce temps, l'hélicoptère d'Atmospheric s'approche dangereusement de nous.

— MAUDE !

— Je sais, je l'ai vu.

La pilote fait faire une embardée à sa machine. J'entends Arlène dehors qui crie à Maude de se calmer. Tout ce que je vois à l'extérieur, c'est un bras qui se tient au patin de l'engin. Ma tante doit être en train d'examiner le dessous de la carlingue.

— Donne du mou, fait une voix lointaine.

276

Je m'exécute en tirant sur le petit levier qu'elle m'a montré.

— C'est bon, Lucie, je suis dans la boîte de courriels. Qu'est-ce que je fais maintenant ?

— Créez un message et adressez-le à…

Par la porte ouverte, je perçois deux sifflements aigus qui passent à côté de nous. Le Skycrane est juste au-dessus, nous sommes à portée de tir de Lampron.

— À couvert ! beugle Arlène.

— Sors-nous de là ! dis-je à mon tour.

— Les vibrations, Lucie… Je n'ai presque plus le contrôle de la machine…

Je me penche tant bien que mal vers l'extérieur. Je crie de toutes mes forces pour couvrir le bruit ambiant.

— Arlène, tu vois quelque chose ?

— Mais qu'est-ce que vous avez à crier comme ça dans le casque ? vocifère le journaliste dans mes écouteurs.

La confusion est totale. Je ne tiens pas compte de cette remarque et essaye d'entendre ma tante.

Arlène se tient d'une jambe et d'un bras sur le patin. Elle revient vers moi difficilement.

— Il n'est pas en dessous, crie-t-elle. Il est sur la partie arrière du châssis.

— Comment tu vas faire pour l'atteindre ?

— Elle ne peut pas ! répond Maude. Il n'y a rien pour se tenir, là derrière.

— On peut s'en passer, tranche ma tante, qui a visiblement une idée derrière la tête.

— Non, Arlène, on ne peut pas, c'est beaucoup trop dangereux.

— Va falloir que tu me donnes du mou, Lucie.

— Arlène, non! hurle Maude.

Je ne comprends pas exactement ce que veut faire ma tante. Une chose est sûre, l'hélico n'encaissera plus de telles vibrations très longtemps. Il faut agir rapidement.

— Lucie, tu vas me donner assez de câble pour que je puisse me rendre jusqu'à l'arrière. Dès que j'ai récupéré le truc, tu me ramènes, OK?

— Mais tu te tiens à quoi?

— À rien.

Voilà la donnée qui me manquait. Ma tante veut se déplacer vers l'arrière en ne se fiant qu'à la trajectoire que va lui infliger l'hélicoptère.

— Maude, tu accélères et tu prends le plus d'altitude possible. Comme ça, je vais être projetée en arrière et vers le bas.

— Arlène, je n'ai presque plus le contrôle…

— C'est notre seule chance…

— Lucie, qu'est-ce que vous fabriquez? demande Simon. Il ne reste qu'une minute… à qui je l'adresse, ce message?

Je ne fais pas attention à la remarque de Simon. Je pense à ma tante. Si Maude ne réussit pas à la projeter sur la bonne trajectoire, elle risque de finir dans les pales de l'hélico.

— Arlène, je ne suis pas sûre de…

— On y va! lance ma tante en se lâchant dans le vide.

Aussitôt, Maude inflige le mouvement adéquat au EC 145. Je suis terrifiée de voir Arlène ainsi suspendue dans le vide, à la traîne le long du châssis. Son corps se balance comme un pantin désarticulé soumis aux bourrasques et percute plusieurs fois le fuselage. Je fais ce qu'elle m'a ordonné et donne du mou au cordage du treuil. Arlène se raproche de l'arrière.

— Lucie, LE MESSAGE ! beugle Simon dans mon casque.

Je reprends mes esprits, ne pouvant rien faire de plus pour l'instant.

— Vous l'adressez à tous les contacts d'Edmund Kynn.

— C'est fait.

— Combien de temps il nous reste ?

— Quarante secondes.

Ça va être tout juste.

— Appuyez sur le petit trombone, en haut du message, pour joindre un fichier.

— J'appuie.

— Il y a un bouton « parcourir ». Cliquez dessus et entrez dans le répertoire du disque dur du bateau, là où vous avez sauvegardé le virus tout à l'heure.

— Pas si vite, pas si vite…

J'en profite pour jeter un coup d'œil dehors en espérant voir ma tante. Rien. Elle est complètement à l'arrière de l'appareil. Subitement, les vibrations s'arrêtent complètement.

— Elle a réussi ! dis-je, victorieuse.

— Récupère-la, me supplie Maude.

Au même instant, une multitude d'impacts de balles apparaissent dans le plancher de notre engin, accompagnés de cognements sourds. Je me mets immédiatement en petite boule sur mon siège. Comme nous avons dû prendre de l'altitude pour donner le bon mouvement à ma tante, nous sommes à présent au-dessus du Skycrane, ce qui lui donne une bonne position de tir sur le dessous de notre appareil et… sur ma tante.

Un signal sonore retentit de nouveau dans l'habitacle.

— Maude, qu'est-ce qui se passe ?

Pas de réponse. Je crie.

— Maude, c'est quoi l'alarme que j'entends ?…

Toujours pas de réponse. J'imagine que Maude est en train de faire ce qu'il faut. Je dois songer à mes priorités. Pour le moment, c'est d'Arlène que je dois m'occuper.

— C'est bon, Lucie, le fichier est joint au message… Reste quinze secondes…

J'appuie sur la commande du treuil qui va rapatrier ma tante. Quelques secondes s'écoulent avant que je voie enfin Arlène apparaître. Je remarque aussitôt une grosse tache rouge qui imbibe le harnais. Je crie à Maude :

— Elle est blessée !

Simon réagit immédiatement.

— Qui est blessé ?… Le message, qu'est-ce que je fais ?

— Envoyez, Simon, envoyez ! dis-je, à bout de souffle, en essayant par tous les moyens d'accélérer le mouvement du treuil.

Ma tante essaye de me dire quelque chose. Elle s'agite.

— … au-dessus de l'autre… Maude doit se placer au-dessus…

Ma tante n'est plus qu'à un mètre de moi. Elle tient dans la main l'émetteur qui ressemble à une grosse balle écrasée. Je ne comprends pas ce qu'elle veut dire.

280

— Placez l'hélico au-dessus du Skycrane, répète-t-elle.

Au même instant, notre hélico se met à piquer du nez. Arlène est projetée vers le haut et se rapproche dangereusement des pales de l'hélico. Je ne suis pas certaine que Maude ait bien saisi la manœuvre à faire. De nouvelles balles ricochent tout autour de nous. *In extremis*, je parviens à tendre la main à ma tante et à la rapatrier vers la cabine malgré notre appareil qui plonge vers le bas.

Je suis en train de la faire entrer quand je perçois deux sifflements étouffés. Ma tante s'écroule à mes pieds, à moitié dans la cabine, à moitié dans le vide.

— ARLÈNE!

À peine consciente, elle regarde sous ses pieds. Je la retiens comme je peux. Nous sommes en train de descendre directement sur l'hélicoptère d'Atmospheric. Il n'est plus qu'à quelques dizaines de mètres de nous. Dans un dernier effort, ma tante en profite pour lancer violemment l'émetteur vers le bas. Celui-ci percute de plein fouet le rotor de l'autre hélicoptère, qui doit faire une manœuvre d'urgence pour tenter de se rétablir. Il perd aussitôt de l'altitude. De la fumée s'en échappe. Par chance, il sort de notre trajectoire.

Ma tante, malgré son état, réagit plus vite que moi alors que je la hisse dans l'habitacle.

— Maude... Maude a un blocage à cause du bruit de la fusillade, bafouille-t-elle. Elle... Elle n'a plus d'anxiolytiques...

Ce sont les derniers mots d'Arlène. Elle perd connaissance.

Je suis tétanisée. Je suis seule dans un hélicoptère qui plonge droit vers le sol.

Je me retourne et secoue Maude de toutes mes forces pour essayer de lui faire reprendre connaissance, rien à faire. Les bourrasques de vent qui s'engouffrent dans l'habitacle et qui tourbillonnent à l'extérieur m'empêchent de savoir à quelle distance du sol je me trouve. Je suis dans une situation apocalyptique. Je ne peux plus rien faire…

— Simon, je vais m'écraser, dis-je en sanglotant. Je ne m'en sortirai pas…

— Lucie, qu'est-ce qui se passe ?

— Dites à mes parents que je les aime et à David que mes dernières heures avec lui ont été les plus belles de toute ma vie… je…

Subitement, ma tante se redresse. Dans un ultime effort, elle essaye de se rendre le plus près possible du siège de Maude.

— Lucie, je ne vous entends plus.

— Un instant…

J'essaye d'aider ma tante.

— Qu'est-ce que tu veux faire ?

— P… Passe-moi ton casque…

Je le lui tends immédiatement.

— Maude s'est affaissée sur le manche… Ess… Essaye de la redresser, ça devrait… devrait nous stabiliser, suggère péniblement ma tante.

De derrière son siège, je fais ce que je peux pour redresser mon amie, mais les résultats ne sont pas terribles, on pique toujours vers le bas.

— Maude… je sais que… que tu m'entends, commence Arlène. La seule façon de te sortir de ton blocage, c'est de te

282

dire ce que ton cerveau refuse d'admettre. Nous… nous étions en Iran toutes les deux, dans un petit village, en mission de reconnaissance. Tu… tu as rencontré plusieurs enfants, dont un auquel tu t'es attachée, Jahan. Je suis sûre que tu t'en souviens…

Ce nom ne m'est pas inconnu. C'est le prénom du garçon dont Maude garde toujours la photo sur elle. Il a perdu ses deux jambes sur une mine antipersonnel.

Il faut que je tente quelque chose de plus radical pour faire remonter l'hélicoptère. Si on perd trop de temps, Maude ne pourra pas le redresser. Je commence à distinguer le sol à travers les nuages. Il se rapproche très vite.

— … On était là pour mettre la main sur une milice locale dont on devinait l'existence… Un jour… un jour, elle s'est pointée, tu te souviens ?… On était en poste… un peu à l'écart du village… on surveillait à partir des montagnes…

Ma tante a de plus en plus de mal à articuler. Je voudrais l'aider, faire quelque chose pour ses blessures, mais je ne peux pas tout faire en même temps. Je me glisse au poste du co-pilote. Tout un tas de voyants rouges sont allumés. Plusieurs alarmes gueulent dans la cabine. Advienne que pourra. Je tire sur le manche. À première vue, ma manœuvre n'a aucun effet… Mince ! Le poids de Maude appuie trop sur l'autre commande et l'empêche de bouger. Je continue malgré tout, ma tante aussi.

— La milice… elle se doutait de notre présence… les soldats ont réuni tous les habitants du village sur un terrain à l'écart. Je… je suis sûre que tu t'en souviens. On les observait de loin avec les lunettes montées sur les fusils longue portée… Les hommes de la milice… Ils savaient que Jahan avait eu un contact plus régulier avec nous. Ils lui ont arraché ses prothèses… il était comme agenouillé dans le sable. Ils voulaient des aveux… Il n'a rien dit… Ils ont tiré sur son père et sa mère, puis l'ont menacé à son tour… Tu as craqué, Maude… Tu as perdu le contrôle… D'où nous étions, tu avais le chef de la milice dans ta mire… Tu as tiré…

J'essaye de redresser l'hélicoptère de toutes mes forces, en vain. On pique toujours droit vers le sol. Je prie pour que la tentative de ma tante donne un résultat rapide… très rapide.

— Le chef mort, les autres n'ont pas baissé les bras… Ils… ils n'ont pas vu d'où était venu le coup de feu… ils se sont vengés sur les villageois… Ils ont forcé Jahan à regarder… Ils les ont tous abattus… un par un… méticuleusement… femmes, enfants, ils y sont tous passés… Le petit a tout vu… On n'a pas eu le temps de réagir… après, ils l'ont descendu à son tour…

Bon Dieu ! Faut que Maude nous sorte de là… ça va trop vite… On va percuter le sol dans pas longtemps. Je brasse Maude d'une main en gardant l'autre sur la commande en espérant un miracle. Ma tante bafouille dans un ultime effort.

— Un… Un seul coup de feu… le tien… a éliminé tout un village… je suis désolée… je ne voulais pas que tu t'en sou…

À partir de ce moment, tout se passe en quelques secondes.

Ma tante s'écroule, inconsciente. Maude réagit enfin, comme si elle venait de subir un électrochoc, et sanglote de tout son être.

— Maude, l'hélico! Maude, réagis! Il faut le redresser!

Maude n'a pas l'air consciente de la situation dans laquelle nous nous trouvons. Je vois très précisément le détail du sol qui s'approche, c'est mauvais signe.

Je crie plus fort et la pousse violemment.

— MAUDE, SORS-NOUS DE LÀ!

Mon amie se redresse enfin et revient dans le présent.

Immédiatement, elle a le réflexe de récupérer son engin. Par chance, en moins d'une seconde, elle est capable de stabiliser l'appareil et de lui redonner un peu d'altitude.

Nous étions à ce point proches de l'impact qu'en manœuvrant pour le rétablir, l'hélicoptère a provoqué un tourbillon de neige au sol.

À cet instant, Maude se rend compte de la gravité des blessures d'Arlène, couchée près de nous. Son torse n'est plus qu'une flaque rouge sang. On ne distingue presque plus le baudrier du reste de son habillement. J'éclate en sanglots, ma tante est au plus mal. Il faut agir vite.

Notre hélicoptère se pose rapidement. En deux minutes à peine, nous sommes à l'arrêt dans une petite vallée enneigée.

Ici, à l'abri des hautes falaises, la tempête est moins violente, mais le vent soulève malgré tout beaucoup de poudreuse et semble nous isoler au milieu de rien.

Dès que nous avons touché le sol, Maude s'est précipitée à l'arrière, équipée d'une trousse de secours rudimentaire.

Elle retire délicatement le harnais d'Arlène et découpe sa veste et son chandail. Sa poitrine est couverte de sang et laisse apparaître plusieurs impacts de balles. Je ne me sens pas très bien. Je détourne le visage, des larmes plein les yeux.

— Il faut la ramener à Nuuk, dis-je, émue. Il doit y avoir un hôpital, là-bas…

Maude ne répond pas. Elle essaye de garder son sang-froid, mais force est d'admettre qu'elle n'y arrive pas très bien.

Je l'entends bredouiller :

— Ça va aller, ma belle, je vais te sortir de là… reste avec nous…

Je perçois la voix de Simon dans mon casque.

— Lucie, que se passe-t-il ? Où en êtes-vous ?

— Ça ne va pas très fort, Simon. Donnez-nous une minute…

Maude, les joues baignées de larmes, est en train de nettoyer les plaies d'Arlène et de poser de grands bandages plats sur sa poitrine.

— Maude, il faut retourner dans la capitale et trouver un médecin !

— J'ai une réparation à faire sur l'hélico, Lucie, sans ça, il n'ira nulle part.

— Arlène tiendra le coup ?

Maude prend le pouls de sa compagne, puis lui fait une injection de je ne sais pas quoi. Je m'adresse à Simon :

— Avez-vous réussi la manœuvre, Simon ? Le virus est parti ?

— Sincèrement, je ne sais pas, je pense que…

Je suis perturbée par un nouveau coup de feu qui vient de l'extérieur de l'hélicoptère. Maude est tout aussi surprise que moi. Nos regards se tournent vers le hublot.

Au loin, je distingue une fumée noire. Et là, sortant des bourrasques, je perçois la silhouette que je redoute le plus. Lampron me vise de son arme. Il me voit à travers la vitre, je ne suis qu'à quelques mètres de lui. Son pilote a dû se poser à proximité à cause des dégâts que nous lui avons infligés.

— Sors de là, Lucie, ou je tire dans le réservoir de cet engin et tes deux copines y passent aussi.

Je regarde Maude, pétrifiée. Que dois-je faire ?

Si je sors comme me le demande Lampron, je peux essayer de négocier pour que mes deux amies restent en vie. Si je reste ici, je signe notre fin à toutes.

C'est à moi et à moi seule de prendre cette décision.

— Marrant, ce virus que vous venez d'implanter dans notre société, beugle Lampron. J'avoue que sur ce coup-là, pour une fois, tu m'as devancé, Lucie Lafortune.

Malgré notre pitoyable situation, je suis rassurée de savoir qu'au moins, le virus qu'a lancé Simon a abouti. Lampron a dû être prévenu que la société avait été la cible d'une attaque.

— … mais c'est ton dernier méfait. J'ai tendance à être plutôt rancunier et j'en ai franchement assez de t'avoir dans les pattes. Sors de là.

Maude me tient la main. Je lis une infinie compassion dans son regard. Elle ne dit rien. Les larmes coulent de ses yeux. Elle ne décidera pas à ma place. Quel que soit mon choix, j'ai bien peur que cette fois, mon parcours s'arrêtera ici. Si ma vie peut au moins sauver celle de mes deux compagnes, alors je dois tenter le coup. J'ai un atout en main pour que Lampron accepte ce marché.

J'enfile ma veste, résignée.

Me voyant faire, Maude me serre dans ses bras.

— Laisse-moi y aller à ta place…

— Tu sais très bien qu'il ne voudra rien savoir… C'est à moi qu'il en veut.

— Lucie, tes parents…

— Ils comprendront.

— Je ne peux pas te laisser faire ça.

Cette fois, c'est moi qui ne réponds pas. Maude sait très bien qu'il n'y a pas d'autre solution.

J'attrape mon sac, dont la garniture en patchwork pendouille en avant. J'en ai besoin, c'est un peu comme si mes parents étaient auprès de moi… Comme un ange gardien.

En ouvrant la porte, je suis prise dans le vent glacé. Lampron est devant moi, de marbre, son arme pointée dans ma direction.

Étonnamment, je suis d'un calme imperturbable. Je sais que mon histoire tire à sa fin, je sais que je n'ai aucune chance, si ce n'est peut-être celle de sauver mes amies. Pour le reste, mon sort est joué. J'ai juste hâte que ce soit terminé.

Lampron prend un véritable plaisir à me menacer. Il attendait ce moment avec impatience. J'ai l'impression d'incarner à moi seule tous les échecs de sa carrière.

— Avant d'en finir, je voudrais vous proposer quelque chose, dis-je timidement.

— Tu crois vraiment que je suis venu pour négocier ?

— Dans mon sac se trouve le disque dur que Wahlberg avait gardé dans son bureau. Vous avez encore une chance de remettre votre entreprise sur pied.

Lampron ricane.

— N'essaye pas de t'en sortir avec un autre bluff, cette fois c'est terminé.

Je plonge ma main dans mon sac et m'apprête à le lui montrer, mais il m'arrête immédiatement.

— Sors ta main de là. Je ne sais pas ce que tu manigances, mais je ne te laisserai pas sortir une arme aussi facilement.

Je secoue la tête négativement.

— Vous vous imaginez vraiment que je sais me servir d'une arme ? Je voulais juste…

À ce moment, ma main touche une pièce en métal tout froid. La mine… Maude l'a placée dans mon sac, tout à l'heure, car dans le feu de l'action, elle n'avait pas d'autre place où la ranger. Elle est inoffensive… sauf… sauf si la gâchette est retirée…

J'ai le câble de raccordement du disque dur entre les doigts. Il me reste peut-être une option… Une seule… La distance qui me sépare de Lampron est suffisante…

Voyant que j'ai toujours la main dans mon sac, Lampron reprend :

— Très bien. Puisque tu t'obstines une fois de plus à me tenir tête, trêve de bavardage stupide.

Je retire ma main au moment où Lampron arme le chien de son revolver.

— Vérifiez vous-même ! dis-je en désespoir de cause.

— Quoi ? s'étonne Lampron, alors qu'il s'apprêtait à tirer.

Je lui envoie mon sac à ses pieds.

— Vérifiez si le disque dur s'y trouve. Tout ce que je vous demande en échange, c'est de laisser la vie sauve à mes deux amies.

Lampron ricane, comme pour me faire comprendre qu'il fera ce qu'il voudra une fois que je serai hors de ses pattes.

Par chance, son obsession pour le projet de ma mère lui fait oublier un court instant la sinistre besogne qu'il s'apprêtait à exécuter. Il hésite puis se penche et, toujours en pointant son arme sur moi, fouille mon sac de sa main libre.

Son visage change d'expression lorsqu'il saisit ce qu'il cherche. Lampron vient de comprendre que je ne bluffais pas.

— T'es vraiment trop naïve, ironise-t-il avec un demi-sourire en retirant, victorieux, le disque dur de mon sac.

Le film passe en mode « image par image ». Lampron tire sur le petit boîtier pour l'extraire de mon sac. Le câble de raccordement du disque est retenu par quelque chose à l'intérieur. Lampron tire plus fort. La mine sort, la goupille accrochée, par mes soins, au fil du disque.

290

L'ex-policier a tout juste le temps de comprendre ce qui est en train de se passer. Son mouvement pour sortir le disque du sac a été trop brusque. La goupille de sécurité de la mine, que j'avais reliée au disque par le câble, se détache. La mine, elle, tombe à l'intérieur du sac. Lampron me lance un dernier regard de mépris avant que la mine rebondisse sur le fond du sac et déclenche son mécanisme.

En une fraction de seconde, l'attitude de mon pire ennemi change radicalement. Il a le regard dans le vague, il lâche son arme et le disque dur comme si ses muscles avaient cessé de fonctionner. Il s'effondre à genoux dans la neige et reste ainsi, complètement figé.

Dans un premier temps, je n'ose pas vraiment bouger. Ensuite, je m'essaye à quelques mouvements. Je me déplace vers lui pour voir s'il réagit. Rien.

Je m'approche encore un peu. Il regarde un point fixe et ne semble plus s'intéresser à autre chose. J'agite les mains devant ses yeux. Aucune réaction.

Cette fois, je n'hésite plus. Je récupère le disque et mon sac, puis retourne à l'hélicoptère. Lampron est définitivement hors circuit.

À l'intérieur, je ne tarde pas à comprendre qu'un autre drame s'est joué. Maude tient sa compagne inerte dans ses bras. Elle a presque la même attitude que Lampron : le regard dans le vide, sans réaction.

Je chuchote :

— Maude, qu'est-ce que…

— Elle est morte.

Épilogue

Arlène est enterrée quelque part sous la neige d'un glacier du Groenland, sur la côte de la baie de Baffin. Un endroit isolé, balayé par les vents, avec une vue imprenable sur la mer. Maude a choisi cet endroit pendant notre vol de retour. D'après elle, ma tante aurait aimé un lieu comme celui-là. Calme, éloigné de tout et loin des personnes qui pourraient la traquer.

Après notre dernière altercation avec Lampron, Maude a fait une réparation de fortune à son hélicoptère et avant que nous quittions l'endroit, elle a allumé une fusée de détresse près de Lampron pour que le pilote de son hélicoptère puisse le retrouver dans le blizzard.

Dès notre départ, il était clair pour mon amie qu'elle ne ramènerait pas ma tante jusqu'à *L'Exode*. Elle ne voulait pas traîner la dépouille pendant de longues heures de vol, c'était pour elle insurmontable. Je crois aussi qu'elle n'aurait pas voulu qu'on jette simplement le corps de ma tante à l'eau. Car, rendus à *L'Exode*, il n'y aurait pas eu beaucoup d'autres solutions pour disposer de la défunte.

Pendant le retour, le visage de Maude avait changé. Le beau sourire de mon amie semblait à jamais effacé pour laisser place à une absence, à un regard qui ne percevait plus rien. Maude n'a pas parlé beaucoup durant ce voyage et les quelques mots que nous avons échangés paraissaient vides de sens.

Bien sûr, j'ai repris contact avec ma mère et tout l'équipage de *L'Exode* dès notre départ pour leur expliquer ce qui s'était passé. Ma mère était abattue, elle aussi. En quelques heures, elle avait perdu un de ses amis proches ainsi que sa sœur. De mon point de vue, ces deux disparitions ont contribué pour beaucoup aux décisions qui ont été prises quelques heures plus tard.

La tempête lancée par Atmospheric a été repoussée vers l'Atlantique Nord, où elle a fini par s'épuiser. Elle n'a pas causé de dégâts majeurs sur son passage, grâce à la perte d'intensité que nous avions provoquée. Dès notre départ du lieu de notre dernière altercation avec Lampron, le soleil avait pointé le bout de son nez. Ma tante a été enterrée sous un ciel radieux avant que nous replongions dans la nuit boréale pour retrouver *L'Exode*.

Tout le monde nous attendait. Plusieurs membres de l'équipe étaient atterrés par ce qui s'était passé là-bas. Mes parents, malgré leur peine d'avoir perdu des êtres chers, étaient particulièrement heureux de nous revoir saines et sauves.

C'est à ce moment-là, je crois, que ma mère a accepté de ne plus me considérer comme une petite fille.

Mes parents ont décidé, pour mon plus grand plaisir, qu'il fallait repartir à zéro. Mon père a compris à quel point ma mère tenait à nous et, pour la première fois depuis de longues années, j'ai eu l'impression de vivre dans une famille unie.

▲ ▼ ▲

Depuis mon retour à bord, Simon n'arrête plus de me parler d'informatique et du blogue qu'il aimerait créer. Le coup de main qu'il m'a donné pour l'implantation du virus lui a servi de déblocage sur la question. Il a déjà rédigé plusieurs articles sur notre histoire, qu'il s'apprête à mettre en ligne.

Grâce à tous nos témoignages, aux documents officiels détenus par ma mère et aux multiples écrits que se propose de rédiger Simon, David ne craint plus trop pour son emploi. Dès notre retour, il affichera ouvertement son affiliation avec ma famille et le projet de ma mère. Comme nous serons à même de prouver ce qui est arrivé à ma mère depuis plusieurs années, David estime que sa position était pleinement justifiée.

Je n'ai pas vu Maude depuis plusieurs jours. Elle reste constamment enfermée dans sa cabine. J'ai bien essayé à plusieurs reprises d'aller la voir, mais je n'obtiens aucune réponse en frappant à sa porte.

Aujourd'hui pourtant, alors que je vais cogner, les bras chargés de pâtisseries qu'a concoctées le cuisinier du bateau, la porte s'ouvre comme par magie. Maude apparaît, toute souriante. Je suis assez surprise par ce changement d'attitude. Elle m'invite à entrer.

— Comment tu te sens ? dis-je timidement.

— Bien, et toi ?

Le comportement de Maude me laisse sans voix. Je m'assois sur la couchette.

— Je… heu… bien, ça va…

— Merci pour les pâtisseries.

— Ma mère et Seger ont décidé de repartir pour Montréal. Ils veulent dévoiler toute l'histoire au grand jour. Simon pense utiliser ses contacts à Radio-Canada pour mettre la presse sur le coup avant notre arrivée. Il est temps que la vérité soit connue.

Maude acquiesce.

— Je crois que c'est ce qu'il y a de mieux à faire.

— J'aimerais que tu habites chez nous pour un moment, le temps que… enfin, tu sais. Je n'aime pas te savoir toute seule pour l'instant. On a besoin d'être soutenue dans ce genre de situation.

Maude vient s'asseoir à côté de moi. Elle met son bras autour de mon cou.

— Merci pour ta proposition, Lucie. Tu es une amie exceptionnelle. Il n'en existe pas beaucoup comme toi.

— C'est un oui ?

— Non.

— Non ?

— Je vais partir, Lucie. J'y ai bien réfléchi, le meilleur remède pour moi est de m'éloigner de tout ça.

— Mais où veux-tu aller ?

— Il est temps que je concrétise mon projet, ça fait trop longtemps que je le repousse.

— L'ONG que tu veux mettre sur pied ?

— Oui. En rendant visite à Atmospheric, je me suis rendu compte qu'il y avait encore des gens à l'esprit suffisamment pervers pour créer des armes pires que celles qui existent déjà.

— Je ne te verrai plus !

— Ma place a toujours été sur le terrain. J'ai des choses à faire là-bas.

Je soupçonne mon amie d'avoir sa propre méthode pour reprendre le dessus sur ce qui s'est passé.

— Tu pars pour oublier.

— Comment veux-tu que je l'oublie, Lucie ? rétorque Maude sur un ton sec. Même en partant sur la Lune, ça ne changerait rien. Je pars pour continuer à vivre. Je pars car je sais que je laisse ici une amie solide, bien entourée et qui se débrouillera très bien sans moi.

— Mais toi, comment tu te débrouilleras ?

— Mieux qu'en restant ici à essayer de trouver ma place dans une société bourrée de préjugés.

Je reste muette. Je sais que c'est égoïste, mais savoir que Maude s'en va et que je ne la reverrai probablement plus avant longtemps me pèse beaucoup.

Je me lève.

— J'ai besoin de ça, Lucie, murmure Maude. J'ai besoin de ce recul pour tirer un trait sur cette partie de ma vie.

Je chuchote à mon tour.

— Je comprends.

Je me dirige vers la porte puis me retourne une dernière fois, intriguée par un détail.

— Quand tu as vu les blessures d'Arlène après avoir posé l'appareil, tu savais, n'est-ce pas, que dans les cinq minutes qui allaient suivre, tu devrais te séparer de la personne à qui tu étais la plus attachée ?

Maude reste pensive un instant, puis hoche la tête.

— Oui.

— …

— Quoi que j'aie pu te dire… On n'est jamais prêt à vivre une séparation aussi rapide. Si j'avais été capable de l'accepter, je n'aurais pas à fuir ce que j'ai vécu ici.

▲ ▼ ▲

J'abandonne mon amie à ses pensées. Savoir que je vais encore quitter une des personnes que j'aime me brise le cœur, mais je comprends le point de vue de Maude. Je n'ai rien à lui reprocher.

Je déambule dans le couloir qui mène à la cafétéria, bien décidée à me réchauffer avec un café avant notre départ imminent, lorsque je croise Ramón.

298

— Lucie, votre mère vous attend à l'avant du bateau. Elle voudrait que vous apportiez le disque dur récupéré chez Atmospheric.

Je ne comprends pas trop le sens de cette requête, mais je m'exécute.

Je passe par ma cabine pour m'emballer dans ma grosse doudou et récupérer le périphérique.

L'écran de mon ordi, ouvert sur le bureau, attire mon attention. Un message est apparu dans ma boîte de courriels. Natacha!

En quelques lignes, mon amie m'explique qu'elle n'a pas pu prendre ses messages au chalet où elle se trouvait, faute de connexion. Elle n'a donc pas lu mon avertissement. Par chance, ils n'ont subi que des vents violents et beaucoup de poudrerie. Natacha passe la journée avec sa mère dans la vieille capitale et en profite pour faire du magasinage. C'est tout à fait Natacha, ça. On passe à un cheveu de l'apocalypse et elle, elle va faire son magasinage.

Rassurée, je me dirige vers le pont principal.

J'avance vers l'avant du bateau dans un froid sibérien. Ma mère ne pouvait-elle pas simplement me donner rendez-vous dans sa cabine? À côté de moi, plusieurs hommes démontent l'installation nécessaire au fonctionnement du projet Tesla. Antennes, armatures, câbles, tout y passe.

Arrivée à la proue, je reste figée un instant. C'est ma vision de cauchemar que j'ai devant les yeux.

À une vingtaine de mètres devant le bateau, ma mère, debout au milieu de la banquise, observe un énorme brasier.

J'ai peur de comprendre…

Je descends sur la glace par la passerelle et m'approche de ma mère, qui ne semble pas s'être rendu compte de ma présence.

— Qu'est-ce qu'ils fabriquent ? dis-je, en parlant des hommes sur le pont.

— Ils démontent le système. Je ne veux laisser aucune trace.

Mes yeux s'habituent à la lueur du brasier. Je finis par discerner au milieu des flammes un document que je ne connais que trop bien. Un document pour lequel nous nous sommes battus sans relâche.

— Maman, dis-je, paniquée. Qu'est-ce que tu es en train de faire ?

— Parfois, la science emprunte des directions qu'elle ne devrait pas prendre, Lucie.

— Mais maman, c'est ton travail que tu es en train de brûler.

— Tesla l'avait compris bien avant moi. Ce n'est pas pour rien qu'il a incendié la tour de Wardencliff. Nous n'avons pas le droit de jouer avec la nature comme nous l'avons fait ici.

— Mais tu aurais pu sauver des communautés. Des gens comme Pewatook comptaient sur toi !

— Ils peuvent toujours compter sur moi.

— Mais sans le projet ?

— La quantité phénoménale de données que nous avons accumulées grâce à nos expériences sur le fonctionnement des hautes couches de l'atmosphère sont des outils qui n'ont pas de prix pour contrer le réchauffement climatique. Nous sommes à l'aube d'une ère nouvelle, Lucie, d'une ère de compréhension…

— Comment feras-tu pour prouver que tu étais bel et bien capable de modifier le climat ? Sans le système, personne ne te croira !

— Nous serons les seuls à pouvoir expliquer très clairement ce qui vient de se passer au-dessus du Québec. Personne ne pourra douter de nos capacités et de ce que nous avons réalisé.

Je reste un instant songeuse.

— As-tu apporté le disque dur ? reprend ma mère.

Je ne réponds pas. Je ne sais pas si ma mère est en train de faire le bon choix.

— Lucie, j'ai perdu ma sœur et un ami proche dans cette affaire, ajoute-t-elle. J'ai payé pour avoir essayé de jouer à Dieu. J'ai compris la leçon. Des centaines de personnes auraient pu y laisser leur peau si Atmospheric était arrivé à ses fins ! Je ne veux pas que cette machine infernale se remette en route dès que j'aurai dévoilé son fonctionnement sur le continent. Je ne suis pas prête à prendre cette responsabilité-là. Le projet Tesla n'existe plus, les notes de l'inventeur non plus. Sans ces données, personne ne pourra remettre une telle arme sur pied avant très longtemps.

— Ce n'était pas juste une arme…

— Les scientifiques qui ont compris comment on pouvait scinder un atome n'ont jamais vu leur découverte comme une arme. C'est pourtant grâce à ce procédé qu'on a créé la bombe atomique. Crois-tu qu'ils seraient allés de l'avant s'ils avaient su qu'ils seraient indirectement responsables de près de deux cent mille morts à Hiroshima et Nagasaki ?

Ma mère se tourne vers moi et me prend la main.

— Lucie, ce projet nous a séparées pendant trois longues années. Il est temps que cela cesse. Il est temps de reprendre une vie normale. Mais tu sais aussi bien que moi que si nous gardons une seule trace du projet Tesla, nous ne serons jamais en paix.

Ma mère et moi regardons les flammes, seules au milieu de nulle part.

— C'est à toi de décider, conclut-elle. Je sais que tu feras le bon choix.

Nos deux mains se séparent. Ma mère me tourne le dos et repart vers le bateau, me laissant seule avec une décision à prendre. C'est la première fois qu'elle m'accorde une telle confiance. Je n'ai pas l'intention de la décevoir. Son argument est en béton.

Je sors de ma poche le petit disque dur enfermant le code source. J'observe un instant cette petite boîte de rien du tout. Ce petit contenant dissimule une telle puissance ! À la fois destructrice et salvatrice. Ma mère pensait que ce projet nous conduirait vers un avenir plus clément. Aujourd'hui, je pense que nous y arriverons mieux sans lui.

D'un geste, je balance le disque dur, dernier survivant du projet Tesla, au cœur des flammes.

J'observe un court instant le petit boîtier se tordre dans le brasier. Dans quelques secondes il n'en restera plus rien.

Au même instant, je sursaute en entendant la sirène du bateau. Seger et tout l'équipage sont prêts pour le départ. Ils n'attendent plus que moi.

En me retournant, je vois David sur le pont qui me sourit et me fait signe de le rejoindre.

L'avenir, c'est maintenant à nous de le forger. Grâce aux données qu'a conservées ma mère sur ses expériences, mais surtout grâce à la connaissance que nous avons acquise de nous-mêmes et de notre famille. À présent, mes parents et moi sommes prêts à repartir à zéro. Plus solides que jamais et plus unis que nous ne l'étions avant.

À présent, il est temps de rentrer chez nous.

Remerciements

Je remercie tout particulièrement mon épouse, Annie, pour son aide à toutes les étapes de la rédaction, ainsi que Stéphanie Durand, éditrice, pour son pertinent travail de relecture et d'analyse du manuscrit.

Les autres titres de la série *Alibis*

Quand on a une agence clandestine qui fournit des alibis, pas facile de se sortir du pétrin…

Le commerce de fausses cartes de Lucie dégénère et elle se trouve impliquée dans « le coup du siècle ». Réussira-t-elle à en sortir indemne ?

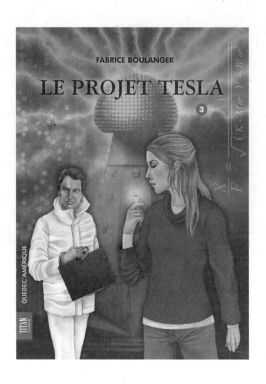

Voilà que Lucie doit sauver la vie de son père, tout en essayant de récupérer la copie d'un projet top secret conçu par sa mère.

Du même auteur chez d'autres éditeurs

Maman va exploser, La Bagnole, 2010.
Le Fou du roi, Michel Quintin, 2009.
Beurk! Des légumes, ERPI, 2009.
La pendule d'Archimède, Michel Quintin, 2006.
Maman va exploser, Lauzier Jeunesse, 2006.
Un boucan d'enfer, ERPI, 2006.
Une idée de grand cru!, Michel Quintin, 2005.

Photo: © Martine Doyon

FABRICE BOULANGER

Après avoir étudié le cinéma et la scénarisation pendant quelques années, Fabrice Boulanger a fait des études supérieures en illustration et bande dessinée. Peu après, il quittait sa Belgique natale pour émigrer au Québec où, depuis, il illustre des livres pour enfants. La littérature jeunesse ne mettant pas de barrières à la création, c'est cette liberté qu'il apprécie par-dessus tout. Et c'est pour exploiter encore mieux le dédale de son imagination qu'il a décidé d'écrire. Après *Alibis inc.*, *Jeu de dames* et *Le Projet Tesla*, des polars pour adolescents qui ont reçu un excellent accueil, il nous propose le dernier tome de la série, *Avis de tempête*, une véritable avalanche de surprises et de révélations.

WWW.MAGLECTURE.COM
Pour tout savoir sur tes auteurs
et tes livres préférés